地方を生きる

小松理虔 Komatsu Riken

★――ちくまプリマー新書
367

目次 ＊ Contents

はじめに

あなたには「地元」と呼べる場所はありますか？　自分の地元って好きですか？　自分は地元が好きだ、もっと地元と深く関わりたいと思っているあなた、それはすごい。明日からボランティアや地域づくりのプロジェクトに参加してみてください。そうではない、たとえば、自分の地元を好きだと思ったことも、逆に嫌いだと思ったこともないなとか、うちの地元には何もねえしなあ、都会がやっぱりいいなあとか、興味がないわけではないけどなあとか、そういう人が多いかもしれません。ぼくも同じでした。

ぼくも若いころは地元になんの興味もありませんでした。地元について、いいとか悪いとか、魅力がどこにあるとか、地域課題がどこにあるのかなんてことを考えることもなく、東京は人が多いなあ、買い物は都会のほうがいいなあ、なんてことを、たまに考える程度。いつかは地元を出て普通に東京の大学に進学するものだと思っていました。地元との触れ合いといえば、神社の祭りにたまに駆り出されるのと、小学生の頃に社会科の見学みたいな授業で会社や工場を見学したくらい。大学時代にも、自分の暮らしていたまちを地元とは思えませんでした。それはいま思い返せば、とても「もったいない」ことのように思います。

本書は、福島県いわき市小名浜《おなはま》というローカルを拠点に活動するぼくの、これまでの活動や取り組み、そこで出会った人たちの興味深い活動や、彼らの愛すべき「ひととなり」などを紹介しながら、地方で、地域で生きるってどういうことなんだろう、ということを自分なりに考えてみた本です。ぼくは「アクティビスト」、つまり活動家なので、あくまで「実践」が柱。自分が見聞きし、体験し、考えたものを中心に、失敗も成功も、ポジティブもネガティブもみんなひっくるめて、地域・ローカルについて考えていきます。


さきほど紹介したように、ぼくは最初から地域に関心があったわけではありません。中高生のころは、地域との関わりはほとんどなかったし、陸上部の部活に打ち込むばかりでした。記録は鳴かず飛ばず。次第に学校の成績も伸び悩むようになり、高校三年生のときには、数学が苦手という理由で「私立文系」コースに進みました。

進学先を選ぶ際も、他県にはどのような大学があるのか、どのような学部があるのかを知ろうとすることもなく、ただただ田舎では有名だった「東京六大学」という看板に目をつけ、もっとも自分に合格の可能性があった法政大学という大学に進学を志し、幸運にも（本当に幸運にも）、その大学に進学しました。ぼくの周りの友人たちもみな、当たり前に、都市部に進学するとしか考えていなかった。けれどもそれは「選択肢のなさ」と言い換えられるかもしれません。

その後、なんだかんだありつつ（本書ではその「なんだかんだ」を紹介していきます）、ぼくは令和元年で四〇歳になりました。生まれ故郷の福島県いわき市小名浜に戻ってきて一〇年になります。ぼくはいま、かつての自分には想像できないほど、地元での暮らしを、ローカルなライフスタイルを楽しんでいます。みなさんの周りの人たちはどうでしょう。そこでの暮らしを満喫しているように見える大人たちはいますか？　みなさんの家族や親戚はどうですか？　大人たちは、「ここで暮らすの最高だぜ」って顔を、背中を、見せてくれていますか？

もし、一〇代だったぼくの周りに、そんな大人たちがいたら、ぼくの人生はきっと、いまとは違ったものになっていた気がします。もっと早く「地方で暮らすこと」を知っていたら、あのときの決断も、あのときの選択も、ちょっと違ったものになっていたはず。とりわけ若い時ほど「ローカル」という選択肢は少ないように思います。だから、こういう暮らしかたが、こういう地域の捉えかたがあるんだなということを、頭の片隅にでも入れておいてほしい。その思いで書きました。

現在、地方で暮らすことが大変もてはやされています。さまざまな人が「地域づくり」に精を出し、自分たちの手で地域を楽しいものにしようと奮闘しています。その背景には「地方創生」や「訪日外国人数倍増」や「産業振興」、ぼくの暮らす福島県でいえば「震災復興」のような大きな取り組みがあります。それらは「東京一極集中」への抵抗であり、なにより「地方の衰退」を食い止めるためでもあるでしょう。地方の衰退は現在進行形です。人口減少、少子高齢化、一次産業の担い手不足、技能実習生、あるいは「限界集落」や「消滅可能都市」といった言葉からも感じ取れるように、衰退しているからこそ、地域での暮らしを盛り上げなければならない。そういうことなのかもしれません。

地域の盛り上げ役として脚光を浴びているのが、日本の数多くの自治体で活躍している「地域おこし協力隊」です。三年程度の期限つきで自治体と契約し、自治体から給料をもらいながら、与えられた業務を進める人たちです。その仕事は、商品開発、道の駅の運営、自治体のＰＲや広報、イベントの企画や芸術文化の振興、農村の活性化など多岐にわたります。

総務省の調査によれば、平成三〇年度の「地域おこし協力隊」の隊員数は五三五九名にものぼるそうです。

ローカルが持て囃《はや》され、自治体が多くの費用を投じて地域活性を行い、移住促進のイベントがあちこちで行われるようになったいま、そこで描かれる地方は、いつも魅力がいっぱいで、うまそうな食べ物と親切な地元の人、おしゃれな友人たちに囲まれています。

しかし、それも一部でしかありません。どこに行っても大変なことはある。納得できないと思うことや、「うそ、信じられない」ということもたびたび起きますし、キラキラした地方移住ばかりでなく、数多くの失敗もあります。

そして、「地域のため」に巻き込まれていくこともあるでしょう。けれども、なにもあなた自身の目標や夢を、地域の目標と重ねなくてもいいはず。人生は、自分のため、家族や友人のためにあるものだからです。こんなことを言うと怒られそうですが、あなたの人生を楽しむためにこそローカルはある。

ぼくは、自分の人生を楽しむために、いま、ここで暮らしています。地域は、楽しんだ「結果として」豊かになるものだと思います。もちろん、楽しいことばかりではなく大変な課題もあります。個人的な「楽しさ」や「魅力」ばかりで、人はつながることができません。そんなときに力を発揮するのが「課題」や「困難」です。それらを自分の心の中に押しとどめるのではなく、だれかとぶつけ合わせたところにローカルのほんとうの魅力が立ち現れます。

これまでの経験から、ローカルでは、自分の生きかたを選び取れる可能性が広がっていると感じます。なぜそれができるかというと、余白があるからです。その余白は、「空き家」とか「シャッター商店街」とか「人材不足」といわれることもあるでしょう。けれどもその余白こそ大事です。競争相手が少ない。コストがかからない。だから失敗しても再チャレンジできる。だから、暮らしかた、働きかた、生きかたを自分で決められる範囲が広がるのだし、そのハードルの低さこそローカルの魅力だと思います。

ローカルな暮らしが楽しいのは、温泉やおいしい食べ物が多いからだけではなく、自分はこう生きたいという気持ちと暮らしが一致するからだと思うようになりました。この本を読んで、よっしゃ、自分の地元でなにかやろう、将来は地方で暮らそう、と思ってもらえたらうれしいですが、そう思わなくてももちろん構いません。いつか人生の岐路に立ったときに、そういえば、あんな本を読んだなあと思い出してくれたら最高です。

さて、そろそろ本題に移りたいと思います。本書を手にした人のほとんどは、ぼくの暮らす福島県いわき市を知らない人ばかりでしょう。本の序盤では、ぼくの暮らすまちやぼくが暮らしたことのあるまちも紹介していきます。そのあとは、場づくり、食との関わりなどを紹介し、ぼくの「ローカル観」を変えた、東日本大震災と原発事故について触れます。そして最後は、ローカルを楽しむ心得を「エラー」という言葉とともに考えていきます。

ぼくと一緒に旅行に出るようなつもりで読んでもらえたらうれしいです。それでは旅の支度はこのあたりで。クソで最高なローカルの旅へ、出かけましょう。

第一章　郷に入りては、郷を面白がる

地元・ローカル・地域

本書を手に取ってくれた皆さん、ありがとう。改めて、本について、そしてぼくについて紹介します。本書は、「ローカル」、つまり、地域や、ある特定の領域に根づいた暮らしの魅力について書かれた本です。「地方」や「地域」というと「田舎町」のようなイメージをする人もいるかもしれませんが、そうではありません。むしろ「地元」という言葉に近いかもしれません。つまり「いま、あなたが住んでいる地域」を「ローカル」とイメージしてみればいいんです。地元というと「自分の実家のある場所」と考える人もいるかもしれませんが、ぼくの考えるローカルとは、あくまで「いま、あなたが住んでいる地域」です。もし、東京都心の銀座四丁目に暮らしているのなら、そこが自分のローカル。全然「田舎町」ではありませんよね。

自分の住んでいる地域でなくても構いません。「この地域のちょっとした一員だ」と思えるような場所もローカルだと言っていいと思います。たとえば、年に二、三回訪れている地域があって、その現地の人たちと一緒にイベントを企画しているとか、どこかの地域に何かしらの思い入れがあるとか。それもローカルに加えてしまっていいとぼくは考えています。

ここ数年「関係人口」という言葉がよく使われます。そこに「定住」している人たちだけではなく、その地域に「関係」している人たちをもっと大切にしていこうじゃないかという言葉で、雑誌『ソトコト』編集長の指出《さしで》一正《かずまさ》さんが発明しました。すごくいい言葉ですね。関係しているだけだけど、私はあの地域の一員なんだと思えたら、あちこちに自分の「ローカル」が増殖するかもしれません。つまり「ローカル」とは、住んでいるかどうかにはかかわらず、自分が主体的に関係を持っているどこかの地域ということになります。

本書は、まさにその「地域と関わること」の魅力を紹介する本です。食や観光、アートなど、地域と結びついたさまざまな取り組みが全国で行われています。ぼくもこの一〇年あまり、地元の福島県いわき市でいろいろなことを実践してきました。本書では、それら現場の実践を中心に、地域と関わる「意味」や「哲学」にまで踏み込みながら、ローカルの魅力を紹介していきます。もちろんいいことばかりではありません。考えられないような「クソ」

な出来事もたくさん起きます。そんな「クソ実例」なども織り交ぜながら、地元の皆さんに怒られない範囲で、ローカルの等身大も伝えていきます。

辞書を開くと、「ローカル」という言葉には、「現場の」とか「局所的な」という意味があります。地域だけではなく、ある「領域」や「現場」をローカルと呼んでもいいわけです。ぼくはこれを拡大解釈して、たとえば、障害福祉の現場とか、震災復興の現場とか、自分を含むだれかが主体的に関わりを持っている「領域」や「現場」もローカルだと考えることにしました。

ぼくが勝手に「ローカル・アクティビスト」と名乗っているのもこれに関係しています。ぼくの活動の場は「地域」だけではありません。時に「医療介護」だったり「水産業」だったりしますし、福島県いわき市でまちづくりに関わる以上「震災復興」には、どうしたって片足を突っ込まざるを得ません。いやそれ以前に、高齢化や少子化という地域共通の社会課題を考慮すれば、あらゆる地域が「課題の現場」だと言えるはずです。つまりぼくの考える「ローカル・アクティビスト」とは、地域をフィールドに活動する人だけでなく、なんらかの課題をフィールドに活動する人でもあるわけです。ローカル・アクティビストとして、ぼくは、そのような現場の課題といかに関わってきたのか。そんなことも、本書を通じて説明していきたいと思います。

ローカル・アクティビストって？

そんな「ローカルについて考える本」を書くのは、ぼく、小松理虔《りけん》です。「ローカル・アクティビスト」を自称しています。ローカル・アクティビストとはなんなのかについては、このあとじっくりと紹介することにして、まずは少しだけ、いま現在のぼく自身の話をします。ぼくはいま、福島県いわき市の南東部、小名浜《おなはま》という港町に自宅と事務所を構え、さまざまな仕事をしています。たとえば、依頼された企業のパンフレットやウェブサイトを作ることもあれば、そうした情報媒体に掲載する文章やキャッチコピーを考える仕事もあります。SNSやオンラインショップの運用の仕事もありますし、企業のブランディングのような仕事をまるごと引き受けることもあります。これらの仕事はぼく一人だけでは難しいので、信頼できるデザイナーやディレクターたちと一緒にチームを作って引き受けています。そこだけを抜き取れば「広告代理店」的な仕事をしていると言えるかもしれません。

これ以外にも、企業や団体の人たちから「こんなことをやりたい」というざっくりとした依頼を受け、企画の全体構成を考えたり、プロフェッショナルな人たちにオファーを出してプロジェクトチームを作り、数年間にわたってそのプロジェクトのマネジメントをするという仕事もあります。たとえば、地元の企業の商品開発に関わったときは、商品の販売促進に関するイベントを企画したり、プロモーションについてアイデアを出したり、イベントに訪れた人たちにアンケートをとって消費者の動向を探る市場調査をしたり、なんてこともありました。仕事は雑多。一言で言うなら、地域に関わる「なんでも屋」です。

書く仕事もけっこうあります。どの地域にも「ローカルメディア」と呼ばれる、ある地域や業種に特化した情報発信媒体があるものですが、そうしたメディアからの依頼を受け、段取りを組んで取材をし、文章を書き綴《つづ》ります。たとえばいわき市では、地域包括ケア推進課という、地域の高齢者福祉にあたるセクションからの依頼を受け、「いごく」という紙媒体とウェブマガジンを制作しました。主に記事やコピーの執筆を担当し、ありがたいことに、このメディアは二〇一九年度のグッドデザイン金賞に輝きました。ウェブサイトやパンフレットの制作依頼を受けて書いた文章は、もはや何万字になるのかわかりません。何かしらの文章を書くことは、ぼくの仕事のなかで大きな割合を占めています。

ポジティブとネガティブを引き受ける

そうして「地域」や「現場」と関わると、大きなメディアでは取り上げにくいローカルのリアルが見えてきます。面白《おもしろ》いのは、そこに常に「魅力」と「課題」の両方がつきまとっていることです。たとえば、地元のある幼稚園のウェブサイトを作った時には、子どもたちの最高の笑顔に出会うことができ、その生き生きとした表情を伝えようと工夫しましたが、同時に、地方の少子化や保育の現場の厳しい現実を考えずにはいられませんでした。また、水産加工品のオンラインショップの制作を請け負ったときは、地元に水揚げされる魚の美味《おい》しさに驚愕《きょうがく》しつつ、原発事故後に売り上げを回復することの難しさや、「風評被害」の現実、福島第一原子力発電所の廃炉について向き合わずにはいられませんでした。ローカルと関わると、必ずといっていいほど、魅力と課題、両方に出会うのです。

もし、小さな広告業者として仕事を受けるだけだったら、とりあえず課題は見ないことにして、魅力のほうだけを膨らませることもできます。けれど、その地域に生きるひとりとして考えると、課題はできるだけ緩やかになったほうがいいし、実はその課題を伝えることのほうに、人と人がつながるきっかけが隠されていたり、挑戦すべき壁があるように思えてきました。そこでぼくは、魅力と課題、そのどちらかだけを抽出するのではなく、「魅力に迫るうちに気づいてきた課題」や、それとは反対の「課題を突き詰めていくなかで見えてきた課題解決の面白さ」などを発信するようになったわけです。ジャーナリストや研究者として客観的に取材するわけではありませんし、当事者かと言われるとそうでもない。とても曖昧なスタンスです。けれど、関わりはゼロではないし、ある課題に無関係な人などいないと思います。

二〇一八年には、東日本大震災と福島第一原子力発電所の事故からの復興について書いた『新復興論』（ゲンロン、二〇一八年）という本を出しました。震災復興に「真の当事者」などいないのではないか、そんなふうに「あの人こそ当事者」と区切ってしまうことこそが「自分とは無関係だ」という意識を作り、関わりを失わせてしまうのではないか、ということが本の主張のひとつでした。

このように、とにかく「地域」や「現場」の、「魅力」と「課題」について関わり続けるというのがぼくの仕事だと言えそうです。ポジティブとネガティブ、その両方を引き受けることこそ、ローカルをアクティブに楽しむための秘訣です。

外に出てはじめて気づく魅力

いまでこそ「ローカル・アクティビスト」などと名乗っているぼくですが、ローカルを意識するようになったのは、実はここ一〇年くらいのことです。ローカルなんてつまらないと思っていた時期のほうが長かったかもしれません。ぼくが初めてローカルの面白さを体感したのが、二七歳のときに移住した中国の上海《シャンハイ》でした。いったん日本の外に出てみたことで初めて、ぼくは、福島の、いわきの魅力を強く実感できたのでしょう。

けれど、その「覚醒」は、上海に移住しただけでは生まれません。いま振り返れば、上海に行く前の「ローカルなんてクソつまんない」と毛嫌いしていた時期こそ重要なのではないか、と感じています。ローカルを恨み、ローカルになんの魅力も感じていなかったからこそ、上海での衝撃が余計に身に応え、「ローカルやべぇ」「ローカル面白い」に変化したわけです。もしあなたが「自分の地元はクソだ」と思っていたとしても、それが大きく変わる可能性もある。

ではここから、ぼくが上海でどのような大きな衝撃を受けたのかについて紹介していきますが、その前に、ローカルに嫌気がさしていた頃の、ちょっと憂鬱な話から始めたいと思います。

ローカル嫌いの報道記者

ぼくは、大学を二〇〇三年に卒業したあと、福島県福島市にある「福島テレビ」というテレビ局に就職しました。といっても、もともと報道記者を目指していたわけではなく、大学四年生の秋まではラジオパーソナリティになりたいと思っていました。ぼくは中高生のときからラジオが好きで、J-WAVEという東京のラジオ局の番組ばかりを聴いていました。バイリンガルのパーソナリティたちは最高にかっこよく（なかでもクリス・ペプラーさんは心の師匠です）、流行《はや》りのJポップではなくビルボードのチャートに心を奪われていました。それで大学時代は「アナウンス研究会」というサークルに入り、「謎のラジオ番組風録音企画」としか言いようがない何かを学内で披露したりしていました。調子に乗って「おれは喋《しゃべ》りの才能があるのでは？」と勘違いしたぼくは、周りの友人たちの就活が始まっても、自分の声を吹き込んだデモテープを声優プロダクションに送りつけたり、アナウンススクールの講習に通ったりしていました。

幸運にも、とある声優プロダクションの目に留まり、研修生というかたちで喋りの勉強をすることになったのですが、その初日、女性のラジオパーソナリティから「ラジオの仕事はいつか実現できるかもしれない。君はまず社会のことを広く知るべきだ。就職しなさい」と助言されました。師匠にくっついて勉強すればいずれはデビューできると考えていたぼくは焦りました。もう大学四年の秋です。やばい、どこも就職先ねえじゃん、というタイミングで、たまたま福島テレビの「秋季採用」があり、幸運にも内定をもらって、ぼくはテレビ局員になりました（ぼくは人生のほとんどをこんなふうに無計画に過ごしてきました）。

期せずして報道記者になってしまったぼくは、社会部という福島県内の事件・事故全般を扱う部署に配属されました。勤務時間の多くを福島市にある福島警察署と県警記者クラブ室で過ごし、事件や事故があればそこから局に戻ってカメラマンたちと合流し、現場へと急ぐという毎日。上司から花見の取材に行けと言われれば花見客でごった返す公園に行き、地域の名物の食レポをしろと言われれば食べ、事件や事故が発生すれば警察車両を追いかけ、雪山で遭難者が出ればランドクルーザーに乗って山へと向かう。まさに東奔西走でした。

そう書くとなんとなくアクティブな記者をイメージするかもしれませんが、ほとんどの時間は地味なものです。所属は社会部。あくまで事件記者ですから、ローカルネタの取材以外は、何か突発的な事件・事故の発生に対応できるよう、県警本部や所轄の警察署で過ごします。大きな事件が起きれば地元の人たちに聞き取りしたり、捜査関係者からもたらされた情報が実際にそうなのか裏取りする取材も必要です。いわゆる「夜討ち朝駆け」のように、警察幹部や検察官の官舎（公務員の宿舎）や自宅に押しかけ、彼らが家を出てきたわずかな時間に事件の進捗などを確認しなければなりません。ライバル局の記者もほとんど同じように働いているわけですから、他社に先駆けてスクープを報じるにはさらなる「密着」が必要です。新事実を探ろうとするならば、記者たちはさらに地道な取材を続けることになります。

そんな日々に倦《う》んでいました。生まれた故郷でもない「福島市」という場所に特別な思い入れがあるわけではなく、お気に入りの名産品や観光名所もありませんでした。自分で「これが取材したい」と主体的に意見を出すわけではなく、ほとんど上司からの指示で取材するだけでした。必要だとは頭ではわかっていながら、こんな重箱の隅を突っつくようなネタを、どの視聴者が求めているのだろうと疑問に感じていましたし、取材でせっかく知り合った人たちとも、取材だけの関係でした。いただいた名刺は見返されることもなくケースに仕舞われ、自分で課題意識を持って取材を進めることも正直少なかったと思います。給料のほとんどは飲み代に消えました。

一方、東京のテレビ局のニュース番組には、華々しく活躍するエース記者たちが映し出されていました。政治に経済、社会問題、スポーツ。全国の人たちに向けて、スマートに、わかりやすくニュースを報じる記者たちがまぶしく見えました。記者として、発信者として、ぼくも日本の中央で取材したい。グローバルな取材をしてみたい。ローカルから目を背けていたぼくは、いつしかそんなふうに思うようになっていました。明らかに「こじらせていた」のだと思います。ぼくは、ローカルテレビ局に入ったにもかかわらず、ローカルなものを毛嫌いし、常に受け身で、いつのまにか東京中心的な視線を内面化してしまったわけです。

なによりぼくには主体性がなかった。自分がなぜここにいて、なぜこのような仕事をしているのか。福島にいることの意味、ローカルの価値なんて考えもせず、上司の指示で取材をし、その日の放送枠を埋めるだけ。そんな受け身の働き方だったことがとてもネガティブに作用したのだと思います。

メディアとは人のあり方である

自分の仕事を卑下しすぎたかもしれません。もちろん、面白い仕事もありましたし、大きな収穫、学びもありました。ぼくは報道記者として過ごした三年間で、企画を考える、下調べする、段取りをつけて取材する、記事を書く、場合によっては自分で映像を撮り、編集して放送に乗せるというプロセスに必要な基本的な動作や思考を徹底して実践的に学ぶことができました。記者の数に余裕があったわけではないので、自分で取材したものがガンガン放送に乗ります。スタジオに入ってリアルタイムで解説する仕事も日常的にありました。全体の展開や構成を考え、夕方のもっとも視聴率のいい時間帯に一〇分を超えるような特集企画をなんども作りました（いまではこんな贅沢《ぜいたく》な展開はもう絶対に無理でしょう）。いまのぼくの仕事のほとんどは、このテレビ局時代に学んだことが元になっています。

技術だけではありません。記者としての心の持ちよう、態度のようなものを叩《たた》き込まれたのもこの三年間でした。「国民の知る権利に応える」や「権力を監視する」だけでなく、わかりやすく伝えること。課題の背後になにがあるのかを突き詰めようとすること。地元の魅力は最大限に膨らませ、地域の課題は視聴者と一緒に考えること。慣れ親しんだ日常風景も一流のカメラマンが切り取ると美しい風景に見えること。つまらなそうに見えるローカルニュースも、切り口次第で、視聴者の心を摑《つか》む面白いニュースにもなれば、やはりなんの印象にも残らないクソニュースにもなること。その時にはわからなかったのですが、ローカルで活動する記者の仕事とはどうあるべきかを、ぼくはすでに学んでいたのかもしれません。

入社したばかりのころ、当時の専務に、こう言われました。

「小松くん、報道記者というのは、学ぶことで対価が得られる数少ない仕事だ。わからないことは専門家に聞く。現場の人に聞く。そうしてわからない自分と向き合って、学びながら、自分も成長しながら、それを社会に問いかけていける、それでお金がもらえる。そういうありがたい仕事なんだ」と。

専門知識を持つ人たちや課題の当事者と一般の視聴者たちの「あいだ」に立ち、両者をつなぎ合わせようと試み、そのために学び続けよ、ということだとぼくは受け取りました。専務のこの言葉は、テレビ局を辞めて一五年になるぼくの心に未《いま》だ深く刻まれています。記者というと、当事者の「外側にいる人」をイメージしますが、ぼくは、外側ではなく、人と人の「あいだ」に立つ人が記者なのだと思います。

目の前のチャンスに飛び込む

専務からそんなありがたい言葉を頂戴し、上司や先輩にものすごくお世話になっていたのにもかかわらず、ぼくは、やはりローカルの価値を見出《みいだ》すことができず、三年間勤めたテレビ局を辞めました。二〇〇六年のことです。上海で日本語教師になろうと画策していたのです。

なぜ上海を選んだのかというと、当時の上海がまさに「バブル絶頂」であり、都市の発展と一緒に自分自身も成長できるのではないか、その成長体験、成長実感こそ自分に必要なのではないかと感じていたからです。当時の日本はというと、ITバブル崩壊からの立ち直りの時期にありました。テレビ業界では、地上デジタル放送が始まったり、堀江貴文氏率いるライブドア社がメディア企業の株を買いまくる「ライブドアVSフジテレビ」の攻防が起きるなどメディア再編の動きが活発化した時期です。新しい時代の到来を予感させる一方、オールドメディアには団塊の世代の重鎮たちが数多く残り、若い人たちの活躍の場がなかなか見出せなかった。その点、上海は、とにかく「機会」があるように見えました。いまだと、インドや東南アジアがそれに当たるかもしれません。

そうそう、それと、ぼくはもともと中国の文化が好きだったのです。『三国志』好きが高じて大学では中国史を学び、劉備が治める蜀《しょく》の都だった四川省の成都という都市に半年間ほど留学しました。そのとき一カ月かけて新疆《しんきょう》ウイグル自治区などシルクロードを旅しました。ウイグルでは、タクシードライバーと仲がよくなり、彼の地元の村を案内してもらったり、たまたま行われていた住民の結婚式に参加させてもらったりと、手厚い歓迎を受け、地元の人たちともたくさん交流ができました。ところが日本へ帰国後、アメリカで衝撃的な「同時多発テロ」が起き、ぼくを歓迎してくれた愛すべきムスリムたちが世界中で排斥されるという事態に陥ります。疑問を感じたぼくは、自分の旅したウイグルについて学び始め、ウイグル自治区の少数民族統治に関する卒業論文を書きました。

そんなわけで、ぼくと中国との間には細い関わりがあり、中国語もある程度話すことができて、なんなら中国に暮らしてみたいという願望もあった。それで上海への移住を決めたわけです。

日本語教師という職業を選んだのは、一番手っ取り早く海外に行けたからです。当時の中国は日本語ブーム。大都市の上海にはいくつも語学学校があり、学習意欲の高い若い学習者のため、日本人の日本語教師が求められていました。それに、日本語教師なら資格を得るにも短期間で済むし（東京の語学学校に三カ月で有資格者になれる「日本語教師養成講座」があった！）、そのついでに日本語を文法から学び直す機会になる。これからもメディアに関する仕事を続けていくのなら、ここいらのタイミングで日本語を学び直すのは悪くないと、安直に考えたわけです。

日本語教師養成講座が開かれていた語学学校には、日本語熱の高かった中国や韓国、東南アジア諸国だけでなく、南米、中央アジア、東欧など、世界各地から採用情報が届いていました。そのなかに、驚愕の好条件の日本語学校を見つけました。上海にあるその日本語学校は、なんと、選考は「メール面接」でよく、勤務開始は最短で半月後だというのです。指示通りにメールで履歴書を送り、いくつかの質問に答えると、数日後には「再来週から来られますか？」と返信が届きました。渡りに船とはこのこと。テレビ局を辞めた四カ月後には、ぼくは上海へ向かう飛行機の中にいました。この非常識なまでの「速さ」。これが上海では当たり前だったのです。

目にするすべてが新鮮な異国の地

初めての上海は、目にするもの、口にするもの、耳にするもの、すべてが刺激的でした。就職先の日本語学校が手当てしてくれたぼくの家は、上海市内の閘北《ジャーベイ》区というものすごく「どローカル」な下町にありました。思い描いていたきらびやかな上海感はありません。三階建ての低層マンションと言えば聞こえはいいですが、悪く言えば薄汚い、よく言えば独特のユーズド感のある建物で、ぼくの部屋はその一階にありました。家賃は一五〇〇元（当時のレートで日本円で二万円ほど）、八畳くらいのリビングに四畳ほどの寝室があり、使い勝手の悪そうな台所とシャワールームがついています。寝室は窓もなく、鉄筋コンクリート剝《む》き出しのため湿気がこもり、布団はすぐにカビが生えてしまうため、物置になっていました（ぼくもそうしました）。

七月。すでに上海は夏の気候になっており、日中は滝のように汗が流れてきます。暑い日には、結構な数の住民が家の外にある水道で水浴びをし、そのままそこで身体を洗い、家の外に置いた折りたたみのベッドで眠っていました。最高にファンキーだと思いました。夏の夜。通りに出れば屋台の串焼き屋が軒を連ねています。狂おしいほど豪快に振りまかれた香辛料とともに正体不明の肉が串に刺されて焼かれ、魅惑的な煙をあげていました。昼間は昼間で、多くの住民が涼を取るため銀行の出入り口あたりにたむろし、株価を示す電光掲示板に目を凝らしていました。そして、そのかたわらの道路では、「小民工」と呼ばれる地方からの移住労働者が、日焼けした真っ黒な顔で道路の補修工事をしていたりするんです。みな、あけっぴろげというか、あまり物事を隠そうとしない。暮らしがダダ漏れになっていて、否《いや》応《おう》なく上海らしさが滲《にじ》み出てしまうんです。ぼくはとにかくしびれました。

タクシーを一五分も走らせると上海の中心部に入ります。モダンな外観のショッピングセンターやタワーマンション、高級そうな中国料理店が軒を連ねていました。ぼくの住んでいた地域とは異なり、どことなく「アジアの大都市」感があります。店の看板や道路標識の文字はすべて中国語ですが、看板以外のまちの景観だけみれば東京っぽく見えないこともない（バンコクやハノイにも似ているのかもしれません）。万国共通のグローバルスタンダードのサービスが受けられる地域でもあります。であるがゆえにどこか無国籍にも感じられ、上海に移住したばかりの頃のぼくは、どちらかというとこちら側（アジアの大都市感のある上海）に親しみや安息を感じていました。

セレブな暮らしのすぐ脇には、最貧の暮らしを余儀なくされている人々の姿もあらわになっていました。当時から貧富の差は大きな社会課題になっていましたが、それでも、みんなが血眼になって生きようとしていることだけは伝わってきました。覆い隠そうとしても漏れ出してしまうリアル。ぼくはそこに上海の底知れぬエネルギーを感じたものです。

上海で感じた、自らの成長実感

日本語学校の仕事も刺激的でした。授業が、というより、生徒との異文化のコミュニケーションがとにかく面白いんです。生徒に教えるのは文法や試験対策ばかりではありません。日本の文化や歴史、社会の問題や、流行のドラマやアニメやゲームと多岐にわたります。「聴力《テインリー》（リスニング）」の授業だということで、小一時間講義（という名のおしゃべり）をすることもありました。そして次第に、授業や交流を通じて、彼らが、ぼくらと同じように「ドラえもん」や「ドラゴンボール」、「スラムダンク」を見て育っていることを知りました。多くの価値観を共有できることも知りました。しかし、両国の間には、歴史や政治など常に分断を作る厄介な課題もある。彼らは日本の文化を愛しているけれど、中国人であることに誇りをもっていて、授業中、歴史の問題や政治の問題に巻き込まれ、微妙な空気になることもよくありました。

メディアでは、日中関係のネガティブなものごとばかりが取り上げられがちだけれど、そもそもぼくたちは、中国人の若者がどのように日本文化を受け入れているかをよく知らない。知らないのに、いや、知らないがゆえに、決めつけて、彼らとの「違い」ばかりを強調してしまう。ぼくは次第に、愛すべき彼らの声を、多くの日本人たちに伝えたいと思うようになりました。

ぼくが移住していた二〇〇六年頃の上海には、一〇万人を超える日本人が生活していたと言われています。一〇万人ですから、日本の標準的な「市」くらいの規模があります。日系企業の事務所は数えきれないほどありますし、日本領事館のあった虹《ホンチャオ》橋地区には日本人が多く暮らしていました。市全体に、日本人が開業した居酒屋、カフェ、雑貨屋、美容室、学習塾やスポーツジムなどが点在しています。日本人にさまざまな生活情報、娯楽などを伝える「日本語メディア」も数多く出版されていました。ぼくは飲食店の情報を手に入れるためにそのような雑誌をよく読んでいたのですが、ある日ふと、日本語教師として働くなかで感じたことや中国人の若者について考察したコラムを書いてみてはどうだろうと思い立ちました。彼らのいまを伝えていくことは、上海に暮らす日本人にとって有益なものになるし、それが日中の友好にもつながるのではと考えたのです。テレビ局の記者時代にはおそらくゼロだった、自分で課題に向き合って考え出した「初めての取材テーマ」だったのかもしれません。

すぐに行動に移さずにいられないぼくは、上海に複数あった情報誌の編集部にメールを送りました。すると、とある情報誌の編集長から「うちで書いてみない？」と連絡がありました。駄目元でもやってみるものですね。原稿料は、一本あたり三五〇元（五〇〇〇円ほど）。早速、日本語教師が中国の若者たちの暮らしを解説する「りけん老師の上海ＮＩＣＥＳＴ」という連載が始まりました。首尾よく連載を半年ほど続けた頃、転職してみたらどうかと誘われ、雑誌を発行する広告会社「上海天盛広告有限公司」に移りました。編集部のメンバーは、意外にも日本で雑誌を制作していた人はほとんどおらず、上海でキャリアを始めた人ばかりでした。しかし、編集部員全員がそれぞれに上海での暮らしを楽しんでおり、それぞれプロフェッショナルな領域を持っているのが面白い。明星《ミンシン》と呼ばれる中華スターや芸能に詳しい人、飲食店巡りを趣味にしている人、上海の大学で学位を取るほど歴史や文化に精通した人もいました。彼らが作る特集はどれも魅力的で、当時の上海の好景気も手伝ってか、広

上海の熱気でテンションが高い筆者

告も順調に入っていました。配布される部数は上海市内で一〇万部。日本のタウン誌やフリーペーパーにも負けてはいません。

ぼくは雑誌制作の経験がなかったにもかかわらず、人手不足なども手伝って、一年目は経済誌のライターを務め、二年目には総合情報誌の副編集長になっていました。副編集長は特集記事の責任者です。自分の興味のあること、関心のあることを取材し、なんと、二〇ページ近くを特集として組むことができます。誰を取材するか、どのような写真が必要か、どのようなキャッチコピーを書き、それらをどのように配置するのか。雑誌制作の基礎的な経験を、ぼくはとにかく短期集中的に実践的に学ぶことができたのです。いま思い出しても最高の仕事でした。

つまり、これが上海だったんです。機会がある。とにかくチャレンジできたんです。アイデアが浮かんだら、やってみよう、やってみて失敗したら仕方ない、という感じで、打席には立たせてもらえる。だから、確かに雑誌のクオリティは、日本の雑誌の方が高いかもしれないけれど（特にデザイン）、ライターや編集者として、実践経験が積めました。そしてそれが実際に形になって流通していくわけですからモチベーションも維持されます。

その実践経験こそが大事です。マニュアルを読んだわけじゃなく、ほぼすべて自分が考えて実践したものですから、成功しても失敗しても経験としての厚みが違う。「とにかくやってみる」ことが成長をもたらしてくれる。

こういう話をすると、「上海は景気がよかったからで、日本の地方では同じことはできない」と感じる人も多いと思いますが、それは違います。上海と同じように、日本でも、田舎でもできます。景気が悪ければお金をかけなければいいし、自分でやれる範囲にスケールを落とせばできることは格段に増えます。「自分で主体的に何かを始める」ことに、景気はあまり関係がありません。確かに上海は景気がよかったからチャンスがあったとは思います。でも、日本の地方だって、ライバルが少ないという意味でチャンスがあるし、家賃が安いというチャンスがある。一次産業に近いところにあるというチャンスがあるし、「地域おこし協力隊」などの制度があるという意味でもチャンスがあります。

「とにかく自分でやってみる」こと、つまり自分がプレイヤーになること。それがローカルを楽しむ上で最も重要なことのひとつです。ぼくは、講演の仕事などで地方に伺うことが多いのですが、参加された人から「ここでこんなことがしたい」、「こういうアイデアがある」と、アイデアを教えてもらうことがあります。ぼくは「明日からやってください！」と言うようにしています。やらなければ、プレイしなければ意味がないからです。「やる」と「やらない」の間には天と地ほどの差があります。やらなければ何も変わりません。だからまずは、クオリティは置いておきましょう。とにかくやってみて、それから考えればいい。打席に立たなければバットを振ることすらできません。ただ、「着手するハードルを下げる方法」や「やったことを次につなげる方法」などにはコツがあるので、そのあたりはまた後段で。

ローカルは深く刺さる

地元ならではの習慣を学ぼうとせず、日本人であることを盾にしていたら、現地の人たちが心を開いてくれない。そうなったら、日本語教師にせよ、雑誌編集者にせよ、仕事はうまくいかないでしょう。そう考えたぼくは、できるだけ彼らの誘いを断らないようにし、地元民が食べているものを食べ、地元民が着ているようなものを着ようと心がけていました。上海に暮らす日本人は、多くの場合、日本人同士でコミュニティを作りがちです。職場などで中国人と接していれば多少のストレスは溜《た》まるでしょうし、余暇の時間はせめて気心知れた日本人と過ごしたい、という気持ちもわからないでもありません。けれどぼくはその金がなかった。金がないので、日本食のレストランに行けません。自然と、現地の身の丈にあった食堂に通い、ローカルな暮らしをするようになります。ぼくは自宅のそばの食堂に入り浸るようになり、コンビニで一番安い紹興酒を買って飲むようになり、最終的には、夏になれば近所の人たちと同じように外で水浴びをするようになり、日本語学校の学生ですら「先生、あんなの何が入ってるかわかりませんよ」と注意されるほど怪しげな屋台の串焼きを食べまくるようになっていました。

休みの日は自転車で近所を回りました。地下鉄やバスに乗り、まだ知らない場所をたくさん訪ね歩きました。怪しい店にも結構行きました。そこには、見たこともない景色や、食べたことのないうまい食べ物がありました。奇想天外な人たちも大勢いました。中国の出会い系サイトにも登録して夜な夜な会ったこともない女性たちとチャットしたりもしました。日常のなかに、面白いものがたくさん転がっていることに気づかされました。

そうして面白がっているうちに、上海のローカルな文化が、たまらなく好きになっていました。そしてそれを言語化し、できるだけ「上海の人たちの、こういうところがいいんだよなあ」と口に出して言い、文章にして書くようにしたんです。すると、生徒や同僚たちが、なんとなく心を開いてくれるように感じられました。日常の生活で必要なことは、ほとんど中国語で説明できるようになっていましたし、現地の上海語も上達していました。いつの間にか、上海の人たちの考えのクセや、これだけは言ってはいけないというローカル・ルールが少しずつわかってきました。面白がっているうちに、結果として、うまくいくようになったのです。

「郷に入りては郷に従え」という諺《ことわざ》がありますね。中国語では「入郷随俗《ルーシャンスイスウ》」と言います。ぼくは、随《したが》うという言葉にポジティブな響きを感じないので、勝手に「郷に入りては郷を楽しめ」だと思っています。そこで大事なのが「面白がる」ことです。元日本語教師なので少し丁寧に説明すると、この「がる」という言葉は、例えば「寒がる」とか「寂しがる」というように、ある人の様子を、その人の内面と関係づけてとらえていることを表しています。

寒そうにしている、寂しそうにしているということですね。そしてもう一つ、「そのように振る舞う」、「そのようなふりをする」という意味もあります。「面白がる」というのは、あえて、演じながら、その局面をおいしいと思ってみるということです。だから、大事なことは「郷に入りては、郷を面白がる」こと。

「つまらない」と決めつけない

面白がること。ぼくは、ずっとそれができていなかった。大学時代には東京都の文京区大塚と世田谷区南烏山《みなみからすやま》に住みました。大学は千代田区富士見にあり、テレビ局時代は福島市山下町に住んでいました。どれも初めての土地であり、未開拓の場所であり、自分の生まれ故郷とは大きく異なる場所だったのに、です。それを楽しもうという気持ちすらなかった。本来なら「地域ならでは」の価値を伝えなければいけない記者時代すら、それがまったくできていなかったわけです。

一八年間暮らしたいわき市小名浜だってそうでしょう。「うちの地元なんてなんもねえ」としか思っていませんでした。地元にはまだ見たことのない景色がたくさんあるはずなのに、

「何もない」「つまらない」と決めつけ、興味も持っていなかった。つまらないのは、地域ではなく、ぼく自身だったのでしょう。

上海に自分なりにどっぷりと浸《つ》かってみて、わかったことがあります。上海のグローバルイメージではなく、上海のローカルなものこそ、だれかに深く刺さるということです。

どういうことでしょうか。上海というと中国最大の経済都市です。多くの人はきらびやかな国際都市としてのイメージを思い浮かべるはずです。たしかに、先ほども言及したように、上海の中心部はグローバル化されています。クレジットカードが使え、英語が通じ、グローバルなブランドのお店が軒を連ねている。だからこそ、誰もが安心して買い物ができるわけです。グローバルな上海は、安全であり安心であり、わかりやすく、イメージしやすい。だから、広く伝わる。

一方、上海の「ローカル」は、そうはいきません。名の知れたブランドのショップもない。英語も日本語も通じません。けれども、古きよき建築様式をいまに伝えるボロいマンションがあったり、唯一無二の味を提供する古びた食堂があったりする。目ぬき通りを少し奥に入ってみたところに、上海の人たちの暮らしが色濃く滲み出た「そこでなければあり得ない景色」が見えてきたりもします。そこに暮らす人たちにとっては当たり前の日常かもしれないものにこそ、ぼくたちのような「ソトモノ」にとって魅力的なものを秘めている、といえると思います。

当時、ぼくはブログに上海のローカル・カルチャーを書き綴っていました。アクセス解析をチェックしてみると、さほどアクセス数のない記事なのに、マニアックな記事に限って遠く離れた国の人たちが見ていることに気づきました。いまはSNSの時代ですから、世界各国の人からすぐに「いいね」がつく時代になりましたが、いまから一五年ほど前はブログが主戦場。ローカルは、広がりこそ小さいけれど、そのぶん誰かに深く刺さる。そのときに思いました。

フリーペーパーを作っていても似たようなことを思いました。たとえば「上海料理特集」を組もうとするとき、有名店や人気店を集めれば、それなりに反響も大きいし広告収入も増えますが、有名店ばかりになりがちで、なんとなく個性が足りず、パンフレットのような総花的な誌面になってしまいます。経済的・商業的な効果は生み出すけれど、誰かの行動を大きく変容させるような衝撃は与えにくくなってしまうんです。

一方、同じ上海料理特集でも「家庭料理」を特集するとどうでしょう。料理一品に対する物語は、料理の作り手ならではのもの。写真も情感的なものが使えますし、読後感も温かく、上海の奥深さを知る誌面を作りやすくなります。一般の家庭を取材するので直接的な広告収入にはつながりにくいけれど、刺さる人には深く刺さる。SNSの時代は、「誰かひとりに刺さるもの」への共感がバズを生む時代でもあります。古びたどこぞの商店街の、たった一枚の写真が何千回とリツイートされる時代。ローカルの「刺さる力」は、ぼくが上海にいた頃よりも一層力を増しているようにも感じます。

ヨソモノの視点

ここで大事なことは、それら「ローカルの価値」が、往々にしてソトモノ、ヨソモノによって「新発見」され、地元の人たちの「再発見」につながったすえに生まれていくということです。地域のよさというのは現地の人たちにとっては「当たり前」。それは比較対象がないからです。しかしヨソモノはそれをシンプルに面白がることができます。ソトモノ、ヨソモノだからこそ、なんの縛りもなく「ここがいいんじゃないですか?」と提案できる。それによって地元の人が再発見し、自信につながったり、新しいビジネスにつながったりします。

地域経済学研究者の松永桂子さんは、著書『ローカル志向の時代』(光文社新書、二〇一五年）のなかで、旧東ドイツのマイセン市の地域づくりを例に「産地の品格、街のたたずまいというのは、生産者や生活者の視点だけでなく、旅行者的視点との融合によって成り立っている」と紹介しています。ソトモノ（外部者）の役割について、印象的な部分を引用してみましょう。

旅行者が「生活的経験」に何らかの意味を付与することによって、「風景」が立ち現れる。外から価値を与え、それがさらに他者に追体験されることによって「風景像」がかたちをなしてくるわけです。（中略）わたしたち外部者は旅行的視点を持って、その風景のなかに身を置き、解釈し、風景の社会的側面にまで思いを馳《は》せる感性が求められます。

どこかに「ヨソモノ」の目線を持っているぼくたちが、ある地域の風景に身を置き、それを現地の人たちの生活目線とぶつけ合わせたとき、「その町らしさ」が出てくるということだとぼくは解釈しました。ぼくたちは、どこかの町の「生活者」であるけれど、また同時に、ゆるふわっとどこぞの町を訪れる「観光客」でもあるわけです。地域づくりとは、何もそこに暮らす人たちだけで成立するわけではありません。ソトモノやヨソモノだって、どこかの地域づくりの当事者だと言えるのかもしれません。

ソトモノ、ヨソモノ、ワカモノやバカモノたちが外からの目線を向けることで、そこにある種の「エラー」が起きて、想像もしないような新しいアイデアが生まれる。そんなことを、ぼくは大切にしたいと考えています。

思想家で哲学者の東浩紀《あずまひろき》さんは、著書『ゲンロン0　観光客の哲学』（ゲンロン、二〇一七年）で、そうした「エラー」を「誤配」と呼んで、興味深い論をいくつも紹介しています。ゆるふわっとした観光客がもたらすエラーの希望や可能性について、膨大な哲学知をもとに書いた本ですが、その理念は地域づくりや課題解決にとても活《い》きる考え方だと感じました。本書の中盤でも、ローカルというテーマに引きつけて、この「誤配」について考えてみたいと思います。

課題の開示も、深く刺さる

そうそう、ぼくがブログで発信していたのは、上海の魅力だけではありませんでした。うまくいかないこと、悩んでいること、上海のクソだと思うことや、嘘《うそ》だろ信じられない、ということ、まさにぼく個人の「生きにくさ」も同時に投稿していました。そんなことを書いても仕方ないなと思っていましたが、書かずにいられなかった。書くことで吐き出していただけなのですが、それが意外にも、少なくない読者の共感を生み出していました。

日本語教師時代の給料は、家賃を差っ引くと日本円で五万円ほどでした。現地の人たちからしたら普通の水準かもしれませんが、家の中にはゴキブリもネズミもムカデも居候していました。電化製品はすぐに壊れ、シャワーの温度は安定せず、適温のお湯が出たことなんてほとんどありません。鉄筋コンクリート造りの家は、夏は蒸し風呂のように暑く、冬は足の裏から体温が奪われます。水道水は体に合わず、近くのローカル食堂の水餃子《すいギョーザ》は、味は美味しいのに食べると高確率で「当たって」しまいます。猛烈な下痢と腹痛は日常茶飯事。出勤時間、何度ケツを押さえながら公衆トイレに駆け込んだことでしょう。ローカルは楽しい。けれど、つらい。

ブログにつらさを開示すると、同じような生きにくさを抱えた人たちから「あるある！」「つらいよね」「その気持ちわかる！」という共感の声が寄せられました。ひとりで愚痴っていたら愚痴でしかないけれど、それを吐き出すと、何かしらの社会性や、何らかの共感が生まれたように見え、苦しみが少し和らいだようになるし、その課題に向き合う勇気というか、いい意味での諦めが湧き上がってくる感じがしました。これはとても不思議な現象でした。ネガティブに見える情報発信なのに、そこに共感が集まり、ポジティブな何かをそこに生み出したからです。

上海の「魅力」だけでなく、上海の「課題」も、人と人とをつなぐものとして捉え直すことができるのではないかとその時に感じました。

課題を開示することは共感を生み、力になる。そう考えたぼくは、編集部の仲間たちと「急な便意もモウマンタイ　上海トイレマップ！」というクソ特集を作りました（正しくはモウマンタイは広東語で「問題ない」なのでタイトルからして間違っているのですが）。日本人が多く利用するであろう地下鉄の駅や周囲のデパートなども含め、すぐに駆け込めるトイレを記した「マップ」を特集に掲載したのです。中国のトイレと言えば、文化大革命時代に「スパイ行為の取り締まり」が行われたことがあり、個室の扉がないトイレや、ただ溝だけが掘ってある「溝トイレ」を生み出しました。現地の人たちにとっては普通のトイレでも、日本人にとっては強い抵抗や恥じらいを感じるところもあり、旧式のトイレは上海を語るうえで「鉄板ネタ」でした。

特集では、上海のトイレを鉄板ネタとして消費するのではなく、悩み深き日本人への実用的なガイドとして届けようとしました。これは当たる。そう確信した特集は、社内で大きな話題になりましたが、あまりにもふざけていると思われたのか、とある大企業の大きな広告が吹っ飛んだそうです。営業部長にもこっぴどく叱られましたが、とてもいい経験です。

このように、その地域の「魅力」だけでなく「課題」までも面白がることができたら、地域には、面白いことしか起きないことになります。クソだと思えることも面白がり方や切り口を考えてみる。それこそローカルに必要なクリエイティブな態度なのではないでしょうか。

上海で三年ほど暮らした頃でしょうか、ぼくは、そんな「面白がる」目線を地元の小名浜に向けてみました。地元の小名浜は、いかにも東北の田舎の小さな港町ではありますけれど、ぼくにとってはありふれた港町の風景こそ、遠くへ、そして深く刺さる「ローカル」の源泉であるように思えました。面白がるコツを地元に持ち帰ったら、見慣れた小名浜の風景だって魅力的にみえるはずだと確信したのです。上海というわかりやすい異国だからこそ、そんな目線を体得できたのだと思います。やはり、客観的な視点も、ローカルの面白がり方も、いったん外に出てみないと体で感じることが難しいのだと思います。

その地域がつまらなく感じるのは、面白がるメガネのピントが合ってないだけかもしれません。メガネのピントの合わせ方を知ったら、慣れ親しんだアレも、つまらねえなと思っていたアレも、なんだか魅力的に見えてきます。いや、慣れ親しんだアレや、つまらねえと思っていたアレこそが、地元を地元たらしめているものであり、より遠くへ、より深く刺さるコンテンツを生み出してくれる。そして何より、そうした風景が、紛れもなく自分という人間を形作ってもきたのかもしれない。そう思うことができて初めて、ぼくは言いようのない愛着のようなものを地元に感じるようになりました。上海での仕事は順調でしたし何より刺激的でしたが、いつしかぼくは、地元へと戻り、自分の現場《ローカル》を立ち上げたいと思うようになっていったのです。

アートとの出会い

上海で出会ったもののなかで、その後のぼくの人生に大きな影響を与えることになったものがほかにもあります。それがアートです。それまでのぼくは、美術館になんてほとんど行ったことがなかったし、芸術家として知っているのは超メジャーな現代美術家、たとえばアンディ・ウォーホルや草間《くさま》彌生《やよい》や村上《むらかみ》隆《たかし》くらいのもので、ほとんどアートに触れたことはありませんでした。ところが、上海で暮らし始めた少し前くらいから、アート作品が「投資」

の対象として注目され始めていたことも手伝って、上海市内にアートギャラリーが数多くオープンしました。ギャラリーの中には日本人が運営するものもありました。そんな上海に活路を見出し、日本人のアーティストが長期にわたって滞在制作するプロジェクトも始まっていました。副編集長になり自由に特集を組めるようになっていたぼくは、上海のアート特集号を出すことにしたのです。

上海に、M50というアートスペースがあります。もともとは郊外の小さな紡績工場と関連の作業場などが集積していた地区ですが、そこに海外から移住してきたアーティストたちが目をつけ、物件を安く借り上げてアトリエとして使い始めたのが最初のきっかけと言われています。安く借りられるとあってアーティストたちの話題になり、あるアトリエの隣に別のアーティストが入り、そしてまた隣の物件に別のアーティストが、というように後が続きました。その話が中国人の芸術家たちにも知られるようになり、また別のアトリエができ、画材屋ができ、作品を展示するギャラリーができ、カフェができたり雑貨屋ができたりして、寂れた工場街は数年間でアートの街へと姿を変えたのです。やがて上海市が指定する芸術拠点になり、そこは多くの芸術家や愛好家たちが集まる芸術地区となりました。

アーティストが先鞭《せんべん》をつけ、そこに面白い人が集まるうちに、場ができ、まちになる。それが短期間で繰り返されていくダイナミズムも、上海の大きな魅力だと感じました。アーティストは、別に「まちづくり」しているわけではありません。けれども彼らの感性が、アクションが、結果としてまちづくりになってしまっている。それが面白いなあと思うようになり、ぼくは、アートと地域について考えるようになりました。次第に、美術家たちとの交流も始まっていきました。

M50以外にもアートエリアは数多くあります。取材のためにあちらこちらに足を運び、いろいろな人たちに話を聞きました。興味深いのは、そういう地区には、無目的で、カフェだかギャラリーだかアトリエだかバーだかよくわからない「謎のスペース」があることです。言い換えれば「溜まり場」でしょうか。特定の目的を掲げていないからこそ、ふわりと立ち寄れるのかもしれません。当時、そのようなスペースは「オルタナティブスペース」と呼ばれているようでした。なんだかよくわからないけど、ワクワクするようなことが生まれそう。ぼくは、そんな場所を日本で作りたいと考えるようになりました。

思い立ったら実践

ネットを検索してみると、東京にはすでにそのような場所が存在していました。第一線で活躍する作家やクリエイター、デザイナーたちは敏感ですから、ぼくが思いつくようなアイデアはすでに実装済みです。どれもすごくおしゃれでかっこよくて、イケている。それと同じことをしても埋没してしまいます。だいたい東京では家賃が高いので、ちょっとした場所でも平気で一〇万、二〇万円とかかりますし、ぼくが目指していたのは無目的な場所ですから、どうやって家賃を稼いだらいいのかもわからない。だいたい日本で毎月一〇万、二〇万円と家賃が支払えるような人間なら、そもそも機会を求めて上海に来ていません。

そこでぼくは、地元の小名浜でオルタナティブスペースを作りたいと考えるようになりました。どうせ小名浜ですから、商店街はガラガラだろうし、家賃だってそう高くないはず。少し無理をすれば、そういう場所も作れるだろうと思い始めたんです。小名浜のようなところに過激な場が生まれたら、すごく面白いことになるはずだ。上海の裏通りの、名もなきおっさんの食堂について書いた記事が遠くのだれかに刺さったように、意外性があるからこそ、絶対に深く刺さるはずだと思っていました。

二〇〇九年の夏。ぼくは、三年ほど過ごした上海を離れ、生まれ育った福島県いわき市小名浜に戻りました。高校を卒業して以来、およそ一〇年ぶりの、ふるさとです。

第二章　ふまじめな場づくり

「場」ってなんだ？

ここからは、地元の福島県いわき市小名浜《おなはま》へ戻ってきてからの実体験をもとに、具体的に「地域の面白《おもしろ》がり方」を考えてみたいと思います。いわばローカル・アクティビストの実践編。第一章では、上海《シャンハイ》の事例を紹介しましたが、第二章では、経験を積んだぼくが上海での経験をどう地元に実装したのか、「場づくり」を軸に書いていきます。

いま思い返せば、郷里に帰ってきてからずっと取り組んできたのが「場づくり」でした。ここ最近よく耳にするようになった「場づくり」という言葉。辞書に載っている言葉ではないので使う人によって意味合いが少しずつ異なるようですが、ぼくの解釈する場づくりとは、だれかと出会い、社会との関わりが生まれ、それが深まる場・時間のこと。何か具体的な「場所」を運営する必要はありません。オンライン上にも場は作れるし、駐車場にも空き地にも場は作れます。飲み会もおしゃべりも、他者や社会との関わりが生まれたら、立派な場だとぼくは考えています。

自分でウェブマガジンを制作したり、オルタナティブスペースを運営したり、大小様々なイベントを企画したりしてきたので、一時期、ぼくは自分がやっていることは「地域づくり」だと考えていたのですが、いまこうして本を書くにあたって活動を振り返ってみると、ぼくがやってきたのは「場づくり」だったのではないかと感じています。だけれども、最初から場づくりをしようと思っていたわけではない。自分の好きなことや面白いと思うことをやっていただけだし、自分の居場所がないから自分で作るほかなかっただけです。自分の興味や関心、つらいことや困難を、自分の心の中にではなく外にぽんっと出して、それについてだれかと話してみたら、「場」としかいえない何かが生まれた、という感じでしょうか。その意味で場づくりとは「だれかといい時間を過ごす」ことの先に生まれるものなのかもしれません。

少し前置きが長くなりました。本題に入りましょう。ここで紹介するのは、ぼくが関わったふたつの「場づくり」です。ひとつめが、郷里に戻ったあとに自分で制作したウェブマガジン。そしてもうひとつが、仲間と運営しているオルタナティブスペースです。ウェブマガジンが「オンラインの場づくり」だとすれば、オルタナティブスペースは「オフラインの場づくり」と区別できるでしょうか。オンラインとオフライン。このふたつの場づくりが何をもたらしたのかを紹介していきます。

「晴耕雨読2・0」の暮らし

生まれ故郷に戻ってきたぼくが意識したことが「上海のやり方を真似《まね》てみる」ことでした。ぼくは上海を「日本の一地方都市」のように捉えていました。上海で学んだ方法論は、日本の地方でもだいたい通用するはずだ、と考えていたんです。

そこでまず、上海にある日本語メディアに売り込みをかけたのと同じように、いわき市内のローカルメディア企業に売り込みをかけてみました。テレビや雑誌に関わってきた経験を生かしたい、いわきのローカルメディアを盛り上げたい、というメッセージとともに、上海で制作した雑誌と履歴書を送りつけてみたんです。一応、ローカルメディアでの経験は積んだつもりだったし、採用は無理でも話くらいは聞いてくれるだろう、会ってもらえたら、なにかしら今後につながるツテになるかもしれないと期待していました。ところが、「会いましょう」どころか「履歴書を受け取りました」という連絡すら来ない。会う価値もないヤツだと思われたのでしょう。

ところが、捨てる神あれば拾う神ありで、しばらく経《た》って、新しく立ち上げられたばかりのフリーペーパーの編集長から好意的な返事をもらいました。オフィスでいわきのメディアについて話を聞かせてくれただけでなく、地元で活動する同世代の人たちを何人も紹介してくれました。その時に知り合った新しい友人とは、今でも親しい関係が続いています。ぼくは大学進学を機に一〇年以上郷里を離れていたので、地元に残った同級生とは進学を機に関係が切れてしまっていました。郷里に戻ってきたといっても、頼れる友人たちはほとんどいません。同じいわき市内に、地域をもっと楽しみたいと考えている人たちが何人もいるということを知り、ぼくはどこか救われた気がしました。

ぼくにとって小名浜というまちは「地元」ではあり続けているのですが、「出る前」と「帰ってきた後」では、付き合う人たちも、見え方も、暮らし方もまるで違う。生まれ育った「郷里としての小名浜」と「活動拠点である小名浜」との間には大きな断絶がありました。だから、地元に帰ってきたというより、新天地に暮らし直しているという感覚があります。生まれ育ったまちだからといって昔の人間関係にとらわれる必要はないんです。もちろん、古い友人たちが力になってくれるというのなら安心ですが、その時の新しい興味や関心を通じて新しい友人たちに出会い直す。そういう感覚も大事です。

新しい友人たちと出会い、刺激を受けたぼくは、かねてから夢想していたローカルメディアの制作に着手することにしました。地元を楽しいものにしたいと考えている友人たちを取材し、彼らの声を伝え、そこに新しい出会いが連鎖するような、「人」が中心のメディアを作ろうと。自分で作ってしまえば上からああだこうだ言われることもなく、上海で学んだことをそのまま実践できます。

二〇〇九年、ぼくは、ローカルウェブマガジン「tetote onahama」を創刊しました。人と人が新たに出会い、手と手をつなぎ、ローカルをクリエイティブにサバイブする。そんな小名浜の暮らしを自分たちで作っていこう、楽しんでいこう、そんなメッセージを込めました。「創刊」とは書いてはみたものの、実際には、ブログに毛が生えたくらいのサイトです。既存の有料サービスを使って構築したので、デザインもそれっぽく作ることができました。いまでは「ワードプレス」など、自力でウェブマガジンサイトを制作できるツールやサービスが揃《そろ》っています。専門的な知識がなくても立ち上げることができるはずです。

企画はどれもシンプル。人に話を聞き、風景を撮影し、地元について様々に考察し、それを書き綴《つづ》るだけ。それだけなんだけれど、発信することで反響が生まれ、それがまた新しい人間関係をもたらしてくれました。メディアを作ることとの原初的な楽しさが記録されています。

いまのようにウェブ広告も発展しておらず、契約先があるわけではないので、このサイトでは一円も稼げません。むしろ、サーバー代や取材費用など出費ばかりで、もはや「副業」ですらなく完全に「趣味」です。けれども、ウェブマガジンの運営が収入につながらないなんてことは、帰国する前からわかっていたこと。好きなことでは稼げないし、むしろ稼がなくていいんじゃないかと思っていました。稼ぐ稼げないは問題じゃない。問題は、活動をいかに長続きするものにしていくかです。「好きなことを好きにやる」を目指す時、それで稼ごうとすることはむしろ障害になり得ます。だから、ぼくは初めからメディア運営で稼ごうとは思っていませんでした。

そもそも地元のいわき市は製造業のまちなのでメディアの制作会社は数件しかなく、メディア企業への就職もほとんど諦めていました。いや、製造業がメインだとすれば、多くの場合、勤務時間は朝八時から一七時まで。仕事が終われば一七時から二四時まで七時間も余裕があります。ならば、昼間の仕事は食い扶持《ぶち》を稼ぐことに集中し、夜間や休日に自分の好きなこと、興味のあることをやればいいじゃないか。むしろ、そうしたライフスタイルは製造業がメインで朝八時始業の会社が多い土地だからこそ輝くのではないか、と考えていました。結局、ないものねだりをしても仕方ないんです。すでにあるものの見方を変えて、どうすればポジティブに変換することができるかを考えるほうが圧倒的にヘルシーです。

そう割り切ったぼくは、地元で開催された地元企業の就職説明会に参加しました。そこで、運よく中国とも取引があるという木材商社のブースを見つけました。同世代の専務、常務との面接は反応もよく、中国語を話せるなら仕事にも生かせるはずだということで、すぐにその会社への就職が決まりました。自宅から事務所へは車で一〇分。勤務開始時刻は予想通りの朝八時。定時であれば一七時には退勤です。夕方五時までは木材商社の広報・営業担当として働き、それ以降は自分の好きなことができる。そう割り切れると、昼間の仕事にも集中できそうです。

ぼくは、そのようなライフスタイルを「晴耕雨読2・0」と呼ぶことにしました。四字熟語の「晴耕雨読」よろしく、昼は食い扶持を得る仕事（晴耕）に徹し、仕事がない時間にクリエイティビティを発揮し、本来やりたい活動（雨読）に取り組もうというものです。ないものばかりの地方都市だからこそ、ライフスタイルは、こうして「自分で作る」ことができるんです。

ウェブマガジンの効能

ウェブマガジンを自分で作ってみて初めて気づいたことがあります。それは、ウェブマガジンが新しいコミュニティを作るということです。取材で知り合った人たちが記事で可視化されることで、新たな地域の担い手が生まれ、これまでとは違う人のつながり、コミュニティが生まれるんです。

ローカルのメディアやアートプロジェクトなどに詳しい編集者の影山裕樹《かげやまゆうき》さんは、著書『ローカルメディアの仕事術』（学芸出版社、二〇一八年）のなかで、「ローカルメディアの役割は〝異なるコミュニティ〟をつなぐこと」だと語っています。メディアを通じて、地域の固定化したコミュニティや人の流れが攪拌《かくはん》され、自分たちが暮らすまちの魅力や資源の再発見を促し、新しい交流やビジネスが生まれたり、人口流出や高齢化などの地域課題を自分ごととして共有する手段になる。影山さんは、さまざまな事例とともに、ローカルメディアの意義を提示しました。

これまでは、地域づくりの担い手といえば商店主や会社経営者が組織する商工会や青年会議所のようなコミュニティでした。しかし最近では、既存の組織に属さない移住者や商店主が、新たな文脈を持ちながら、新たな担い手として、地域づくりのコミュニティを作り始めています。おしゃれでデザイン性の高いサービスを提供する新しい担い手たちが、これまでの発想とは違った形で魅力を創出している地域は、全国各地にあります。

その新しい担い手たちはローカルメディアで紹介されることで認知されていきます。そして、二人目、三人目と新しい担い手がメディアに取り上げられることで、なんらかの価値観を共有した集団のように見えてくる。

とはいえ、メディアの制作者が何も考えずに取材していたら、ローカルメディアは、その大事な役割を果たすことができません。大事なことは、取材しっぱなしにするのではなく、取材した人と取材された人の間にリアルな関係をつくることです。取材を通じて知り合った人たちが関係を深め、友人となり、また別の取材された人がその輪に加わることで初めて、メディアを通じてコミュニティが立ち現れます。そこでは、自分を「地域の外部にいる取材者」ではなく、「地域づくりの内側にいるプレイヤーのひとり」だと自認することが必要です。

カギを握るのが「インタビュー」だとぼくは感じています。ぼくの場合は、気になる人がいるとすぐに取材を申し込み、なぜ小名浜で、なぜその業態を選んだのか。どのような思いで取り組んでいるのか。その人の人生そのものについて話を聞くようにしていました。質問内容はいたってシンプルですが、シンプルなだけに、その人本来の姿を知ることにつながります。

そして、相手の話を聞くだけではなく、ぼく自身も、地域についてこう思う、こんなことができたらいいよねと、自分の目標や夢も語るようにしていました。インタビューというより、ある種のカウンセリングでもあり、対話でもあり、おしゃべりでもありました。気になる人に「一緒にお話ししたいです」と連絡するより、「取材させてください」とオファーする方が会ってもらえるはずですよね。ぼくにとってインタビューとは、取材のためではなく、その人と知り合いになるための方便です。記事は、その結果にすぎない。

もしお金が発生するメディアだったら、記事はバズらせなければいけないし、テレビ局の記者時代のように、その場限りの関係で終わっていたかもしれません。でも、ぼくのメディアは、ぼくが自由にコントロールできました。インタビュー中に雑談したっていいし、お互いに悩みをぶつけたっていい。そのような豊かな時間を経過すると、取材させてもらった人とすっかり打ち解けていて、いつの間にか友人になってしまうわけです。テレビの記者時代にも、何百人という人たちにインタビューしていました。けれど、よさげなコメントが取れればそれ以上突っ込むこともなく、頂いた名刺に電話して飲みに誘うこともない。それらはどれも「インタビューのためのインタビュー」でした。一方で、「tetote onahama」は全然違いました。わかりやすく説明すると、一五人にインタビューしたら、そのままその一五人が新しい友人になり、その一五人それぞれの間にも個別に交友関係が生まれているという感じなのです。一緒にイベントをするようになったり、自分たちのスペースを訪問しあったり、リアルな関係が次々に生まれました。その時には気づきませんでしたが、先ほど紹介した影山さんの言葉にもあるように、ローカルメディアには、既存のコミュニティにとらわれない、新たなコミュニティを作る機能があると気づきました。

これから「場」をつくろうとする人は、メディアのこともぜひ考えてみてください。本業にしなくてもいいんです。ぼくのように「趣味」でもいいし、なんなら、すでにあるメディアのお手伝いでもいい。もっといえば、役割を自覚しさえすれば、別に文章なんて書かなくてもいい。必要なのは、人と出会い、語り合い、リアルな人間関係を拡張する「場を作ること」です。楽しみながら続けた先にはきっと、新しい友人や、新しい居場所が生まれてくるはずです。

二枚目の名刺

人間関係を拡張するときに役に立ったのが「名刺」でした。編集長と書かれてはいますが、自称ですし、小松理虔というのはペンネームですから法的にはそんな人間は存在しません。いわば虚構に近い名刺です。それなのに、その名刺でたくさんの人に会い、話を聞くことができました。自称にすぎない「tetote onahama 編集長」の肩書が、とてつもない効力を発揮したのです。

当時、ぼくは地元の木材商社に就職していました。そちらの名刺に記されているのは本名ですし、法人として登記され実在する会社の名前も記されています。ですから、社会的には、そちらの方が身分保証された名刺だと言えます。営業マンですから当然たくさんの人に会いました。名刺フォルダには、同じような材木商、問屋、建具や家具メーカーの担当者、住宅メーカーの人たち、設計士や大工の名刺が入っていました。

ところが、名刺フォルダを見比べてみると、木材商社の営業マンとして名刺交換した人よりも、編集長として名刺を交換した人のほうが圧倒的に多様なんです。当然、木材商社の営業マンとして付き合う人たちは同じ業界の人です。業界の外の人に会う頻度はそう高くはありません。専門性は高いものの、その分、業界の内側の論理も働きます。例えば、木材商社の営業マンの名刺だったら営業だと思われて相手にされないかもしれない建築家に、編集長の名刺だったら会って色々と話を聞けた、なんてことが起こり得ます。つまり、編集長の名刺によって、木材商社の営業マンとしてのぼくの「外部」が生まれる。実際には同じ人間なのに、肩書や名刺だけで会える人が大きく変わるわけです。とても面白いと思いませんか？

もし、ぼくにサラリーマンだけの肩書しかなかったら、ぼくの評価はその会社や業界の中の評価だけで決められてしまうかもしれません。でも、人間誰しもそうですが、職場の姿はその人の「一部」でしかありません。職場で求められている役割以外に、もっと光る才能や、もっと別の興味や関心があるはず。職場を「学校」に入れ替えても成立するでしょう。学校での自分が、自分の全てではないはずです。それなのに、学校での評価が自分の全てになってしまう。おかしいですよね。

だから「二枚目の名刺」は、そんな閉じた世界から、自分を解放する取り組みだとも言えるでしょう。そして、自分のやりたいことや興味関心を「会社」や「学校」ではなく「社会」と結びつけるツールにもなり得ます。どんどん好きに名乗ればいい。好きに名刺を作って、自分の好きなこと、関心のあることを通じて、地域と関わりを作ればいいんです。高校生や中学生だって、好きに名刺を作ってください。作家や写真家を名乗ることだってできるし、デザイナーやイラストレーターにもなれます。その名刺は、学校でのあなたや、家でのあなたを解放してくれるかもしれない。もしかしたら、そこから「独立」のチャンスも生まれるかもしれません。会社や学校にバレるのが嫌なら、ぼくのように作家名やハンドルネームで活動したっていいんです。

「二枚目の名刺」は、コミュニティを攪拌し、しばしば新たな担い手を作り出します。たとえば、会社では地味な事務スタッフが地元のイベントの打ち合わせで商店会長と対等に企画を練っていたり、工場に勤める静かな作業員が美しい作品で写真展をにぎわせたりする。普段、会社の中では目立たない人たちが、会社とは別の場では光り輝くということがよく起こります。ぼくの場合は、そういう才能をウェブマガジンで紹介するようにしていました。本人はアマチュアカメラマンだと思っていても、ウェブマガジンで「いわき市在住の写真家」と書いてしまうんです。じっくりとインタビューをし、写真に対する考えを語ってもらう。なんなら自分の運営するスペースで個展なんかを開いてしまってもいい。それを読んだ人はその人を正真正銘の写真家だと思うはずです。

堂々となりたい自分を名乗る。小さくてもいいからとにかく事実を重ね、その出来事を発信し続ける。その人の名前が社会に少しずつ流布されると、そのうち地元の新聞社やテレビ局から取材を受けるなんてことが起きるかもしれない。そうして公共の電波に乗った瞬間、公私認める「写真家」が生まれてしまうわけです。そんなふうに「二枚目の名刺」によって才能を開花した人たちを、ぼくは何人も取材してきました。ぼく自身も、それに含まれます。

田舎に帰る。地方に移住する。それによって自分の好きなことができなくなるかもしれないと思う人も多いでしょう。けれど、それを仕事にしなければいい。趣味でいい。副業でもいい。もちろん仕事にできたらそれはそれでいい。大事なのは、仕事にしなくてもできるということです。むしろ、先ほど紹介したように、本業にしないことで生まれるサステナビリティや出会いもあります。好きなこと、興味のあることを、地域社会に対してアウトプットしてみてください。そこに新たな出会いが生まれ、自分の未来が切り拓《ひら》かれていきます。競争の激しい都市部より、地方のほうが、その可能性を強く実感できるはずです。

「ユートピア」に生まれたオルタナティブスペース

ウェブマガジンの運営が軌道に乗り、少しずつ友人が増えてきた二〇一〇年ごろから、ぼくはリアルな場づくりに着手しました。上海時代からやりたいと思っていた、オルタナティブスペースを地元に作ろうというあの構想です。といっても、どうやったらできるのかもよくわからず、ぼんやりと「こんなことができたらいいなあ」と考えていただけで、まだまだ具体的なイメージは浮かんでいませんでした。そこでぼくが考えたのは、建築や空間設計に精通した人を仲間に取り込むことです。仲間は一人でも多いほうがいい。まずは人に会い、自分の思いを伝えつつ、必要とあらば、自分のウェブマガジンを最大限に利用して、その人の思いもまた広く発信できれば、その声がさらに広がって、別の仲間ができるかもしれない。そう考えていました。

ぼくは何事に対しても安直にものを考えるので、まずツイッターで「小名浜　建築」を検索してみると、奇跡的に、小名浜の出身で建築系の大学院を卒業したという同世代の男性を発見。ぼくはすぐにDMを送り「まずは飲みましょう」と誘いました。実際にその彼に会い、いろいろな話を聞いてみると、彼も、ぼくと同じように地元で何かを始めたいと思っていたところで、ぼくのウェブマガジンも読んでくれていました。彼、丹洋祐《たんようすけ》くんとは運命の出会いでした。すぐに意気投合し、オルタナティブスペースの構想を語り合いました。そして首尾よく、小名浜港のそばに、古くは練り物の加工場だったという建物を見つけました。外からみると古民家風の建物で、いかにも小名浜の歴史を背負ってきた風格もある。中は少し古くなっていましたが、コンクリート打ちっ放しの作業場は、いかにもリノベーションのしがいがありそうでした。その物件を気に入ったぼくたち二人は不動産屋を訪ね、契約を結ぶ手はずを整えました。契約書の締結予定日は、二〇一一年三月一二日。

　ぼくたちが構想したオルタナティブスペース「UDOK.」に入居するはずだった日の前日、東北地方を強い揺れが襲いました。ぼくの暮らすいわき市では、揺れが三分も続きました。そのうち一分は震度五以上の揺れだったことが後になって報じられていますが、この世の終わりかと思ってしまうような、とにかくこれまでに味わったことのない地震でした。小名浜港にも津波が襲いかかりました。ぼくは、母と祖母を車に乗せ、高台の中学校に避難。カーナビのテレビを呆然《ぼうぜん》と見つめることしかできませんでした。

　震災から二日後の三月一三日、ぼくはようやく港の被害の状況をこの目で確認することができました。行きつけの店が、知り合いの家が、たくさん流されました。UDOK.になるはずだった建物は、一階部分が津波で破壊され、車が何台も突っ込んでいました。もうこの場所に夢を描くことはできないかもしれない。そう感じました。そうこうしているうちに、今度は東京電力福島第一原子力発電所で爆発が起き、福島県は大きな混乱に陥りました。原発から六〇キロほど離れた小名浜も例外ではありません。通りから人がいなくなり、ひとり、またひとりと、県外に避難していくような状態でした。地震、津波、原発事故、そして放射能。新しい生活が始まるはずだった小名浜はすっかり「被災地」と呼ばれるようになっていました。

とはいえ、そこに暮らす人たちには、普通の暮らしがあり続けました。たしかに混乱は大きかったけれど、家族と備蓄していた缶詰を肴《さかな》に昼からビールを飲んだりして楽しい時間もありました。仲間たちとも頻繁に連絡が取れましたし、物資の買い出しや炊き出し、ボランティア活動など、それぞれができる範囲で何かに打ち込んでいました。まちにはむしろ一体感が醸成されていたんです。

アメリカの文筆家、レベッカ・ソルニットさんは『災害ユートピア――なぜそのとき特別な共同体が立ち上がるのか』（亜紀書房、二〇一〇年）という本で、災害時や非常時に生まれる利他的なコミュニティを解き明かしています。大惨事に直面すると、人々は混乱に陥り、利己的になると思われているが、そうではなく、隣人や見知らぬ人にすら思いやりを示すのだとソルニットさんはいいます。ぼくもそれを強く感じました。たしかにむちゃくちゃな被害が生じています。けれど、その一方で、人と人のつながりが生まれ、思いやりが可視化され、「ありがとう」や「お互いさま」が行き交うような力強いコミュニティが生まれていました。原発事故によって、その「ユートピア」は引き裂かれ、まちには深い分断も生まれてしまいましたが（それについてはぼくの著書『新復興論』に詳しく書かれています）、災害という大きな障害を前に、人々がつながりを求め、団結し、一体感を持って課題に向き合うことができた時間は、希望的なものとしてぼくの心に記憶されています。

あの数カ月は、なんというかアドレナリンのような興奮物質がずっと出続けているような状態でした。ぼくたちは、震災や原発事故はあったけれど、それで自分のやりたいことまでやめる必要はない、むしろ、多くの犠牲があったからこそ、そもそもやりたかったことをここでやるべきではないかと考えるようになりました。ゴーストタウン化していた小名浜で新しい物件を探し、五月一日、小名浜銀座商店街の一等地に二〇坪の物件を見つけ、オルタナティブスペース「UDOK.」は開かれました。

「UDOK.」で開かれたライブイベント

UDOK.は、事務所のような、スタジオのような、アトリエのような、ギャラリーのような、何にでも使えるコミュニティセンターのようなスペースです。美術の世界ではこうした多目的空間を「オルタナティブスペース」と呼んでいます。第一章で書いたように、ぼくは二〇〇〇年代の上海のアートシーンに影響されてオルタナティブスペースに興味を持つようになりましたが、もともとは欧米のアートシーンに由来するもので、日本では一九八〇年代から東京を中心に各地にオープンしたそうです。

UDOK.の広さは二〇坪。大家さんによると、以前は洋品店として使われていたそうです。家賃は六万円で、ぼくと丹くんが負担しますが、部員（メンバー）は月五〇〇〇円の部費を支払

アーティスト・イン・レジデンスの様子

うと、好きにこの場所を使えるというシステムになっています。部員が一五人ほどいると、部費だけで家賃や光熱費をペイできます。オープン当初はぼくと丹くんだけでしたが、毎週のようにイベントが開かれたこともあり、次第に新しいメンバーも増え、震災ボランティアの活動をしていた人や、東京でVJとして活動していた人、DJ、アマチュアのフォトグラファー、書道家、ゲーマー、クラフト作品のクリエイターなどが部員になってくれました。基本的には、同じ小名浜地区の人が多かったのですが、隣の茨城県北茨城市から通う部員や、ニュージーランドから来た英語の先生、原発事故後に原発のある地域からいわき市内に避難してきた部員もいました。東京と小名浜で二重生活を送っていた人が短期部員になったり、東京に暮らす人が名誉部員になったり、純粋に活動を応援したいという方が部費だけを納めてくれることもありました。UDOK.を自分の居場所のように感じてくれたのかもしれません。

震災から数年間は、外部からの持ち込みの企画も多く、メジャーシーンで活動するミュージシャンのライブや、演劇作品の上演会、作品の展示会なども開催しました。ロンドンに在住していたアーティストが二カ月ほど住み込みで作品を制作する「アーティスト・イン・レジデンス」もありました。地元の同世代の人たちと「復興会議」のようなものを開いたりもしました。そうやって、いろいろな機能を持たせていくと、地域に対して場が開かれていきます。

音楽イベントだけを開いていたら音楽好きな人しか来てくれない。ゲームばかりだったらゲーマーばかりが集う場になります。多種多様な企画を組み合わせたり、いろいろな要素を入れ込むことで、多様な人たちが集まるよう心がけました。扉は、できるだけ開け放っておきます。音楽も映像も笑顔も、外から見えるようにしたんです。すると、「ここ、なんのスペースですか?」なんて声をかけてくれる人が増え、そのまま部員になる、なんてことも起き始める。ああ、もっともっと、地域の外に出て、この場をさらに開いていかないといけな

いつものまちも視点がかわると違って見える

いのかも、そう思うようになりました。

公共圏への「はみ出し」

ぼくたちが最も頻繁に開催していたのが「まち歩き」のイベントです。写真撮影を軸にしたものや、「朝」という時間縛りのまち歩きなど、複数の企画を行っていました。まち歩きが面白いのは、いつもとは違った風景が見えてくることです。カメラを持てば、写真に収めて美しい場所はどこだろうと探すようになります。朝散歩すれば、キラキラした光によっていつもより色鮮やかに見えてきます。徒歩でめぐることで、車だったら素通りしていたところに、新しい何かが見つかったりする。そうして「いつもとは違う視点」でまちを観察できるのが、まち歩きのいいところです。

まち歩きは、ひとりでも面白いのですが、集団になるともっと面白い。誰かが、自分には見つけられなかった風景を探し当ててきたり、同じ景色を見ているはずなのに、写真が全然異なっていたり。大勢でまち歩きをすることで「他者の視点」を感じることができます。そして、集団で歩くと、「一体何が起きているんだ?」と地元の人にびっくりされることがあるのですが、それも大事なことです。地元の人たちは、そこに美しい風景があるとは思っていない。「こんな景色のどこが面白いの?」という反応です。けれど、「ここのこれがいいんです」、「この風景がとても素晴らしいんです」と地元の人たちとコミュニケーションすることで、その地元に他者の目線が入り、地元の人にも何かしらの影響が生まれたりする。集団でまち歩きすると、そういうハプニングが起きる。そのハプニングからコミュニケーションが生まれます。

一時期、UDOK.の外に、テレビとファミコンを置いていた時期がありました。ただファミコンを置いてあるだけなのに、通りがかりの小学生がゲームをしていったり、「懐かしいねえ」なんて声をかけてくれたりする年配の方もいました。そうしてまちに暮らす誰かとこんなふうにおしゃべりできるなんて、小名浜ですら珍しいことになってきています。人が集まる。他者とコミュニケーションする。そこには自室にこもっていたら生まれない出会いが生まれます。ぼくは次第に、そこに「公共性」のようなものが生まれているんじゃないかと感じるようになりました。

ぼくの住んでいる小名浜は、いわき市の一地区ではあるのですが、人口が七、八万人ほどいるので、小さな地方都市くらいのボリュームがあります。地方都市とはいえ、住宅地のほうでは近隣の付き合いも薄くなってきました。都市部ほどではありませんが、公と私の線をはっきりと引くようになっています。一方、田舎に行くほど、公と私の境界線が曖昧になってきます。家の鍵を閉めない家も多いですし、だれかがふらっとやってきて、軒先でお茶を飲んだり、おしゃべりしたりしている。ぼくはその曖昧さがとても好きです。だから、都市部で、住宅地で、公と私の曖昧さを取り戻したいと思っていました。

外にはみ出していくと、意外な人に出会うこともあります。地域の企業の社長さんとか、商店会の会長さん、市議会議員や、まちづくり団体の幹部がいたりするわけです。ぼくは、何か面倒な仕事を押し付けられたら嫌だなと思っていたので、そういう団体には顔を出していなかったのですが、地域で活動するうち、次第に地域のベテランたちともつながり、いろいろなところで協力をいただいたり、逆にこちらから提案したりアイデアを出したりと、関わりが生まれ、一緒にイベントを企画するようにもなりました。

面白いエピソードを一つ紹介します。仲間のひとりに、高木市之助《たかぎいちのすけ》くんという同世代のデザイナーがいます。彼はもともと東京でVJとして活動していたのですが、ある日の夜、悪ノリで、UDOK.の道路を挟んだ反対側にある銀行の壁に花火の映像を投影したんです。ゲリラ的にやった単なる遊びだったんですが、いつの間にか、UDOK.にはどうもすごい映像作家がいるらしい、今話題のプロジェクションマッピングを作れるらしいと変な噂《うわさ》が広がり、それがいわき市の職員の耳に届いて、ある日、「君たちはプロジェクションマッピングができるんだって？　まちづくりの助成金があるから、映像を投影するイベントをやってみてくれ」と助成金の申請を勧められたことがありました。書類の申請なども手伝ってもらったおかげで、高木くんが中心となって、いわき市からまちづくりの補助金をもらい、「オナハマ・マホウ・プロジェクション」というプロジェクションマッピングのイベントを企画しました。

最初はストリート感覚の「ゲリラ的映像投影」だったのに、それが間違って変な噂を生み、いわき市の「まちづくり事業」に採択されてしまうわけですから、とても痛快だと思います。まちにはみ出すと、こんなことも起きたりするんです。自分たちのスペースの中に閉じこもらなかったのがよかったんだと思います。外部に、公共空間にはみ出すことで、取り組みに小さな公共性が付与され、自治体や商店会など公共性の高い団体との協働になっていく。

「スクウォッティング」という言葉を聞いたことがありますか？　スクウォッティングとは、一九七〇年代に世界的に流行した社会運動で、工場や倉庫などに不法侵入し、電気やガスを調達してライブハウスやギャラリーなどの拠点にリノベーションしてしまうというもの。先ほど紹介した編集者、影山裕樹さんの『大人が作る秘密基地』という本の中で、社会学者の毛利嘉孝《もうりよしたか》さんが「社会のスキマを生きる〜スクウォッティングという実践」という論考を残しています。毛利さんは、スクウォッティングについて「都市の流人のアジール（避難所）として機能した」とした上で、「スクウォッティングは、都市が発展し、拡大していく際に生じる歪《ゆが》みを補正するために必要な、ボトムアップ型の実践です」と語っています。

最初は、どこの誰だかわからないような人たちが運営していたのに、過激なゲリラ的行為によって地元の人たちとのコミュニケーションが生まれ、後づけで公的機関との連携が生まれ、様々な協働が生まれたＵＤＯＫ.にも、この「スクウォッティング性」があるように感じます。その概念を前もって知っていたわけではなく、完全に「結果としてそうなった」だけなのですが、地域においても、勝手なＤＩＹ行為に後づけで公共性が生まれるというのは大いに起こり得ます。好きなこと、面白そうなことを「地域の中」にはみ出して実践していく。すると、どこかで公共性を帯びることがあるわけです。最初から「地域のため」とか「復興のため」なんてことを掲げなくてもいいんです。

課題から生まれる公共性

UDOK.が少しずつ活性化し、色々な人たちの居場所になると、メンバーからポツポツと本音や悩みを聞くようになりました。UDOK.の部員は普段は会社勤めの人が多かったので、会社でのトラブルの話が多かったでしょうか。上司からのモラハラとか、有休がもらえないとか、業務で使う備品なのに自腹を切らされたとか、いきなりクビを宣告されたとか、社長にこんなヒドいことを言われたとか。それまでは、UDOK.は楽しみを持ち寄るところだと思っていましたが、同時に、悩みや困難をシェアする場所にもなっていたのです。家でひとりで吐き出したら愚痴に過ぎないかもしれないけれど、それがシェアされると、そこからじわじわと社会課題が浮かび上がってきます。それをもっと多くの人たちと共有できたら、なんらかの課題解決につながるような動きを作れるかもしれない。その意味で、それぞれがやりたいこと、楽しいと思うことだけでなく、働くこと、暮らすこと、子育て、様々なステージで生まれる「課題」を持ち寄ることが、UDOK.のような場所に求められているのかもしれません。

思えば、当初は小名浜という地域の魅力を最大化するような企画が多かったUDOK.ですが、メンバーが結婚したり子どもが生まれたりすることで、「課題を持ち寄る場」としての性格が強くなったなあと感じます。ぼくにも娘が生まれ、相棒の丹くんも父親になりました。そこで感じるのは、まちの魅力を共有するようなイベントもコミュニティを生み出すけれど、課題を持ち寄って語り合うこともまたコミュニティを生み出すということです。

娘が生まれたばかりの頃、妻の要求通りにミルクの温度を下げられなかったり、娘が気にいるようにおむつをつけられなかったり、子育てと仕事の両立がうまくいかず悶々《もんもん》とした時期がありました。周囲の人たちはどうなんだろうと思い立ち、UDOK.で酒を飲みながら父親の悩みを共有する飲み会イベントを開催しました。似たような境遇にある人たちなので、悩みを吐き出しやすいし、男性同士なので励ましの言葉も伝わりやすい感じがしました。飲み会は大成功で、モチベーションも上がったのですが、そこで「個人の課題が集まると、そこに地域の課題が見えてくる」ということを感じたんです。課題が見えているのだから、どういう支援や心構えがあればその課題をクリアできるのかも見えてきます。もしそこに、自治体の子育てセクションの担当者がいたら、直接行政に反映させられるかもしれません。課題をシェアして愚痴をこぼしあっているだけなのに、地域の課題解決の可能性が生まれてしまうわけです。自分の悩みを開示し、社会に開くと、そこに人と人をつなぐ力が生まれ、にわかに公共性が立ち上がってくる。そう言っても過言ではありません。

ぼくは、そういう小さな飲み会でも、しっかりイベント化するようにしています。ただ単なる飲み会にしていたらそれで終わりだけれど、イベント化し、名前をつけ、レポートを書き、しっかりと発信することで、その飲み会に公共性が生まれると考えているからです。その飲み会イベントのときはそこまでは徹底しませんでしたが、プレスリリースなどを流してテレビ局や新聞社にも知らせていたら、もう少し大きな動きにつながっていたかもしれません。実は、そのイベントの後、公共団体の方から連絡がきて「リケンさんの企画した飲み会は、父親の子育て参画を促しそうだ。大いに続けて欲しい」と言われました。もう少し戦略的に組み立てれば、自治体とも連動した企画にできたかもしれません。

このように、魅力だけでなく「困難」や「課題」を共有することが、新しいコミュニティの種となり、生きにくさの解消や、社会課題の解決につながってしまうわけです。繰り返しますが、実際にはただの飲み会です。けれど、小さな工夫や発信を心がけるだけで、その企画には小さな社会性が生まれてきます。

どんなことでも面白がること

ここからは、「場づくり」から離れて、もう少し「課題の捉え方」について考えてみたいと思います。そのために取り入れたいのが「面白がる」ということ。課題＝まじめなイメージですが、あえて「ふまじめさ」を取り入れてみたいと思います。

社会課題は生きにくさに直結します。高齢化や少子化、子育てや待機児童、教育格差。様々な社会課題が地域に横たわっています。日本の構造的な問題に起因しているため、一朝一夕では解決しない問題ばかりです。「課題とともに生きる」ことが現実的なのかもしれません。一生付き合うのだとすれば、課題を面白がったり、課題解決のためのプロセスそのものを楽しんだりするほうが圧倒的にヘルシーではないか、とぼくは考えています。もちろん、圧倒的な理不尽には怒りの声を上げることも必要です。その一方で、課題を面白がるようなマインドも、課題だらけのローカルでは必要な考え方だと思います。結局、どこに住もうと課題はあるわけですから、できるだけポジティブに捉えたい。

ここで参照したいのが、いわき市の「地域包括ケア推進課」という部署と制作している「いごく」というメディアです。市内の地域包括ケアの取り組みを広く市民に知ってもらうべく、フリーペーパーとウェブマガジンを制作しています。地域包括ケアとは、地域に暮らす人たちが、最期の瞬間まで自分の選択した場所で暮らせる社会づくりを目指し、在宅医療や在宅介護などのサービスを充実させ、地域コミュニティの力も借りながら、地域に暮らす人たちが一体的・包括的に連携する取り組みを指します。まさに高齢化という社会課題を解決するために行われている取り組みだといえます。

この「いごく」のプロジェクトでのぼくの担当は、主に取材と執筆、編集です。情報発信を通じて、地域の課題について考えてもらい、高齢者福祉や介護に関心のある人たちを増やそうということがミッションです。ですが、ぼくは医療福祉の専門家でもなければ、介護福祉士の資格があるわけでもありません。ましてや、家族の中に介護が必要な人間がいるわけでもありません。全くの「部外者」です。責任ある仕事を任されるのに、ほとんどの文章を書くぼくに専門性も当事者性もない。だから開き直って、「素人であること」の価値を最大化して伝えようと心がけています。

高齢者福祉の当事者とは誰でしょう。地域包括ケアに関わりのない人たちはいません。なぜなら、自分の親も老いる。自分もいずれは老いるからです。誰もが「いずれ死ぬ」という意味で当事者です。医師や介護士や、福祉事業所のスタッフばかりが当事者なのではない。むしろ我々のような外の人間の方こそ、実はまぎれもない当事者なのだと思います。

そこで重要なのが「面白がること」です。多くの人は、社会課題に対して「自分とは関係ない」と思いがち。かつてのぼくもそうでした。別に知り合いに介護が必要な人がいるわけではないので、当事者ではないと考えていました。ところが、認知症の方が暮らすグループホームにただお茶を飲みに行っておばあちゃんたちとおしゃべりしたり、集会所に通って母ちゃんたちの作る絶品漬物を食べまくったり、どうしたらじいちゃんばあちゃんをかっこよく撮影できるだろうかと写真にこだわったり、そうして毎回面白がって取材を続けるうちに、いつの間にか、福祉や介護に巻き込まれ、ライターとして間接的に関わることになってしまいました。そして、その面白がる様を外部へと発信してみると、読者もまたそれに巻き込まれていく。面白がることで、課題と自分と社会がつながっていくんです。

いごくの取り組みで象徴的なのが、「いごくフェス」というイベントです。そのプログラムの中に「入棺体験」と「遺影の撮影」があります。いわゆる「終活」の文脈で知られる入

いごくが企画する入棺体験

棺体験ですが、いごくフェスの場合、その棺が、音楽や食を楽しむ公園の中や、芸人たちが出演する劇場のホワイエに置かれていたりするんです。特に二〇一九年に開催された時は「ペアで入れる棺」も設置されました。本来、ペアで入れる棺なんて実在しません。いわば虚構の棺です。けれど、だからこそ入ってみたくなるんです。演目を楽しみに来た人が、「なんだこれー！」と盛り上がってしまい、図らずも棺の中に入ってしまう。面白がっていたら、いつの間にかまじめなことを考える時間につながってしまって、そんなつもりはなかったのに、家族や自分の死について思いを馳《は》せてしまう。そんな「エラー」が、いごくフェスではたびたび起きます。

実際の死に装束を着てもらうことも

さらにもうひとつ。棺のそばには、造花で装飾された黒い額縁がぶら下げられています。「涅槃《ねはん》スタグラム」と名付けられた遺影撮影のブースです。ふざけてますよね。死で遊んでいるわけですから。けれど、これもまた、面白がっているうちに当事者になってしまう仕掛けだと言えるでしょう。インスタ映えのために撮った写真なのに、誰かの遺影を撮ってしまうわけです。それが親だったらどうでしょう。おばあちゃんや孫だったらどうでしょう。明らかにふざけているように見えるのに、ものすごくまじめな思考を生み出しもする。面白がることで課題の本質に到達してしまうような回路を、いごくフェスではいくつも作っています。

老いや死は、人生最大の課題です。重い課題は、真っ正面から向き合うとつらいですよね。だから、家族で話し合われることもなく、むしろ縁起が悪いと忌避されてしまう。話す機会がないため、自分の親がいざという時どうしていいかわからなくなってしまったり、望まぬ延命治療が行われてしまったり、遺産の相続などトラブルをつくってしまったり。それまで満足のいく人生を送って来たのに、最期の最期で望まぬ死を迎えざるを得ないのだとすれば、あまりにもつらいことです。だからこそ、死をタブー視することなく、自分や家族の最期について考えてもらいたい。それが、自分らしく最期まで生きられる地域づくりにつながり、社会課題について考える思考の回路を作り出します。でも、やっぱりハードルが高い。そこで、その議論の端緒を作るために、まず企画者であるぼくたちが面白がり、面白がった末に出てきた企画に多くの人を巻き込み、参加者も面白がれるような場づくりをしていこうと考えたわけです。面白がることでまず自分が当事者になる。その様を発信することで、次の当事者を作る。いごくの取り組みは、当事者性を拡張するための取り組みです。

また、面白がることは、障害や困難を越えて、その本人に近づく回路にもなるということも、ぼくは「いごく」から学びました。

たとえば認知症。認知症の高齢者は、同じ話を何度も繰り返してしまうことがありますが、繰り返される話も、「めんどくせえ」と思わず、面白がって対面してみると、なぜその高齢者がその話を繰り返し話すのかの理由がわかったり、その高齢者が大事にしている思い出を知ることができたりします。

財布をいつもタンスの奥の方にしまってしまい、それを忘れしまう母がいるとしましょう。「なんでいつもなくすんだ！」と怒ってしまったら、本人はさらに萎縮してしまい、自分でできることが少なくなってしまうそうです。財布をタンスの奥の方にしまってしまうのは、それだけ財布を大事に思っているからかもしれません。それがわかれば、「母ちゃん一緒に探してみよう、タンスの方を見てみたらどう？」と、こちらから提案でき、母は自信を取り戻せるかもしれない。だから、少しだけ距離をおいて、「おや？」と興味を持ってみる、あえて演劇的に、面白がって向き合ってみる。そういう関わりが必要なのだそうです。

目の前の状況に対して、感情的に声を上げる前に、専門的な評価を下す前に、まずはその状況を面白がってみること。自分を演じて、その場にそこはかとなく介入してみること。それらを自分なりに研究してみること。そして発信してみること。いごくの起こすアクションには、そんな特徴があります。

地域や課題に関わることも、同じではないでしょうか。怒られるかもしれませんが、課題を、目の前の状況を面白がってみればいいんです。自分の中だけに閉じ込めていたら、それはずっとつらいまま。他者と語り、面白がり、そっと自分の「外」に出してあげるんです。すると、目の前の厳しい状況を少し客観的に見られるようになったり、同じ悩みを抱える仲間が見つかったりすることがたびたびあります。

魅力も課題も、両方、面白がってみてください。そのために必要なのが、対話の相手、つまり「他者」と交わることのできる場です。面白そうな方向に、楽しそうな方向に、気軽な方向に、場を求めてみてください。地域や課題に対するアプローチが変わり、社会の見え方も大きく変わってきます。魅力と課題が両方詰まった地方暮らしは、最高に刺激的なものになるはずです。そのためにも、まずは直面する状況を面白がってみること。そこからすべてが開かれます。

第三章　ローカルと食

食は地域のシンボル

地方都市に住んでいて、日々幸せを感じられるもの、それはなんといっても「食」です。食には圧倒的な力があると感じます。ぼくたちは当然、食べなければ生きていけません。ぼくたちはものを食べることで栄養を取り、生きています。けれど、生きるためだけに食べているわけではありません。食を通じて家族や仲間と語り合ったり、「おいしい！」「うまい！」と感じることで「幸せ」を感じたくて食べるという面もあります。「ああ、もうこんな時期になったんだな」と季節を感じたり、食材を通じて地域らしさを感じることもありますよね。個人に対する恩恵ばかりではありません。食はその地域の魅力や産業とも強く結びついています。

食は、地域のシンボルでもあります。そこに暮らす人たちのアイデンティティを作り、プライドを形作っているものでもあります。たとえば、皆さんも一度くらいは見たことがあるでしょう。テレビ番組に「秘密のケンミンＳＨＯＷ」というご当地自慢の番組がありますよね。どこそこの県ではこんな食べ方をする、どこそこの地方ではこの催しの時にこれを食べる。面白おかしく紹介される地域の食文化を見て、ぼくたちは、自分がどの地域に属しているのかを強く感じたり、他県や他地域の文化について「ありえないでしょ」なんて思ったりもする。だから番組が盛り上がるわけですよね。このように食とは、身近に「地元」を感じさせてくれるものでもあります。己の血肉を作るだけではなく、関係を作り、地域、そして文化を作る。それが食です。地域に根ざす「ローカル・アクティビスト」としては、見逃すわけにはいきません。そこでこの第三章では、「ローカルと食」についてじっくりと考えてみたいと思います。

ぼくと食の歴史

本題に入る前に、ぼくと「食」の歴史を紹介しましょう。ぼくは、東日本大震災の一年あと、二〇一二年の春に、縁あっていわき市内にあるかまぼこメーカーに転職しました。そこ

沖からみた福島第一原子力発電所

に三年間、食の現場に社員として関わることで、風評被害の実態や、地域の食の全体像が見えてきました。

二〇一三年の秋からは「いわき海洋調べ隊うみラボ」という活動が始まります。この活動は、地元の有志たちとチームを結成して船に乗り、爆発事故を起こした東京電力福島第一原子力発電所の沖で魚を釣って放射性物質を測定し、汚染の状況を自分たちで発信しようという取り組みです。福島の食は、放射性物質による汚染という、経験したことのない大きな困難に直面しました。「食べる／食べない」という選択の違いが分断を生むなかで、この活動は、情報や思いをいかに発信し、消費者に安心や信頼を感じてもらえばいいのかを考える大きなきっかけとなりました。専門知識のない素人たちの集まりではありましたが、地元の海をより深く知ることにつながり、かまぼこメーカー時代とはまた違った回路で、水産業との距離が縮まりました。

調査をしても原発沖の魚から放射性物質が検出されなくなり、うみラボの活動がひと段落してきた二〇一七年の冬からは、より地元の水産物の魅力を深掘りしつつ、日常的に、地元の人たちと海との距離を縮める場を作ろうと、鮮魚店や飲食店と連携して「さかなのば」というイベントを開催しています。地元の水産に関する情報発信を続けてきて、ぼくは地元の「宝の持ち腐れ」を痛感するようになっていました。どれほど他県に商品をアピールしても、地元の人たちがそれを誇りに感じられなければ、地域の食はただ上っ面のものだけになってしまう。地域の人たちが誰よりも地域の食を楽しまなければ、「風評払拭」にはなり得ません。その手始めに、まずぼく自身が地元の海産物を誰よりも楽しむことにしました。

自分でイベントを企画するようになると、ありがたいことに、市内のいわば「ガチ」の水産加工会社や生産者から「面白いことやろうぜ」と声をかけてもらえるようになり、一緒に商品開発をしたり、プロモーションの方法などを考えたりすることも増えてきました。二〇一五年に独立してフリーランスになったので、ぼくに声をかけやすくなったということもあ

魚の新たな魅力を見出《みいだ》す

るのかもしれません。二〇一八年からは、地元小名浜のサンマの加工会社と一緒に、水産品を通じた地域づくりのプロジェクトを企画しています。

　地域の食になんて大して興味もなかったひとりの消費者だったぼくが、自分たちの思いだけで活動を始めることになり、それを続けるうちに海との距離が縮まって、暮らしや食卓がより豊かになり、いつの間にかそこから仕事が生まれ、気づけば、よりプレイヤーに近い位置で食に関わるようになっている。それがこの一〇年間です。その足跡を書き記すことで、地域における「ゼロからの食との関わり方」や「食との関わりの開き方」が浮かび上がってくる気がします。主体的に食の産業に関わることで何が生まれてきたのか、じっくりと振り返ってみたいと思います。

食べることと地域

食べること。それは紛れもない「愛情表現」だとぼくは考えています。食べるということは、それを自分の体の中に取り込むことだからです。体の中に入れるって、よほどのことですよね。信用できない人が作ったものは食べるのを躊躇《ちゅうちょ》してしまうはずです。もしかしたら腐っているかもしれない。生煮えかもしれない。調理されてしまったら、そこにどんな原材料が入っているのかを確認することもできません。それなのに、ぼくたちは食べてしまう。福島県産のモモを食べて「うまい！」と叫ぶ。それは、地域に対する愛情を表すことにほかなりません。

そしてまた、食べることは「信頼」の証《あかし》でもあります。ぼくたちは、知らないお店に入ってもそこで食事をすることができます。それは、厳密に言えば、「店として営業してるんだからまさか食えないものは出さないだろう」と、暗黙のうちに了解していることを示しています。「お袋の料理」がうまいのは、そこに全幅の信頼があるからです。

同時に信頼はブランドを作ります。「新潟県魚沼産コシヒカリ」と聞いて、まずい米だろうなと思う人はそう多くはないはず。「夕張メロン」と聞けばあのオレンジの果肉とジューシーな果汁を思い出すでしょう。その名前を聞いたとき、瞬間的に「最高に美味《おい》しいだろうなあ」と勝手にイメージが湧いてしまう。そこにも強い信頼があるはずです。とても当たり前のことですが、こう書いてみると、なんだか地元のことが前よりもちょっとだけポジティブに感じられませんか？　だって、あなたの食は、あなたが信頼する人や地域によって作られているわけですから。

食べることは、風景そのものと自分の胃袋とをつなげることだ、と語る専門家もいます。文化人類学者の石倉敏明《いしくらとしあき》先生は、「外臓」という興味深い言葉を用いてぼくたちと世界との関わりを思考しています。以前、いわき市で開かれた文化講座で、石倉先生から直接伺ったことは、その後のぼくの食に対する考え方を大きく変えました。少し紹介します。

まず、ぼくたちは「内臓」と聞くと、自分の体の中にあるもの、つまり外の世界とは切り離されたものとして考えてしまいます。けれど、実はその内臓は、肛門《こうもん》や口を通じて外へ出て、さらに手足の爪先を経て外の世界とつながっている。さらに、その先の山や海や川にも接続される。自分と切り離されているように見える山や海や川は、内蔵とつながった「外蔵」と言えるのではないか。ぼくたちの内臓は、食物を生み出す大地や海や川、つまり「外蔵」とつながっているというわけです。大昔の人たちは、そのように世界を捉えていたのではないかと石倉先生は考察します。食べるということは、外の世界とのつながりをより強く感じる行為であり、山や川、海の風景を身体の中におさめる行為でもあるのかもしれません。

また、石倉先生は、講座の中で「麴菌《こうじきん》」の働きにも言及していました。菌というものは、ぼくたちの目には見えません。しかし、目に見えないものなのに、その麴菌が米にくっつくことで米が発酵し、醬油《しょうゆ》や味噌《みそ》、清酒が生み出されます。生の米は当然そのままでは食べられません。そこに、目には見えない菌の力が働くことで、ぼくたちの健康に資する食品が生まれるわけです。だからこそ古《いにしえ》の日本人は、そこに「神」の姿を見たのではないかと石倉先生は言います。確かに、日本酒の蔵元にある麴室《こうじむろ》には神棚があります。神様の力を借りて生米が酒になる。蔵元の人たちは、その神に感謝を捧《ささ》げるため神棚を設《しつら》えているわけですね。清酒は神事にも用いられる神聖なものでもあります。そこに神が宿る。つまり、お醬油や味噌、清酒をいただくというのは、その土地土地の神様を体の中にお迎えする行為とも言えるのではないか。そんなことを、石倉先生は講座で話していました。

八百万《やおよろず》の神は、山にも川にも、木々にも稲にも宿っている。ぼくたちが見慣れた田舎の景色、「なんもねぇなあ」と思ってしまうような風景にこそ神はいる。そう考え、敬い、ぼくたちの祖先は地域の文化を大切に受け継いできました。だから、食べるという行為は、神様を体の中に迎える行為であり、内臓と「外蔵」とのつながりを感じる行為であり、そしてまた、祖先が守ってきた風景や文化そのものをいただくことでもあるのです。大げさでしょうか。でも、そう考えてみると、普段食べ慣れたものに、なぜか少しだけ「つながり」を感じられるかもしれません。

このように、「食べる」という行為は、空腹を満たすことや栄養を摂取することだけにとどまらない意味があるのです。もちろん、ぼくも最初からそのような意識を持っていたわけではありません。もともとは、地域の食になんてほとんど関心はありませんでした。ぼくは、ローカルテレビ局の記者をしていながら、地域の食について考えを巡らせることもありませんでした。給料をもらったら大好きだった焼肉を食べには行きましたし、ぼくが住んでいた福島市の名物「円盤餃子《ギョーザ》」も結構食べました。でも、何も考えずに食べていただけで、地域と接続されたものをいただくという認識なんて、これっぽっちもありませんでした。

そんなぼくが地域の食に関心を持ったのは、二〇一一年におきた、東京電力福島第一原子力発電所の爆発事故がきっかけです。震災と原発事故は、ぼくにとって、人生を変える大きな出来事でした。あの原発事故で、福島県を中心に、広大な範囲の地域に放射性物質が撒《ま》き散らされました。海も山も川も、米も野菜も、果物も魚介類も、一時は危機的な状況に陥りました。目には見えません。でも、汚染は数値として表れました。そして、それまで当たり前に食べられたものが、急に食べられなくなってしまった。食の安全の根底が揺らぎました。目の前の畑にあるこの野菜は本当に食べていいのか、ばあちゃんちの裏庭で作られている野菜は測定されているのか、海に放出された汚染水は、魚たちに影響を与えてはいないのか、本当に、それは、安全なのか。

そして、その問いは、次第に原発事故以前のものに対しても向けられていくことになります。ぼくたちが普段口にしているものは、そもそもどのように加工され、どのような流通を辿《たど》り、目の前の陳列棚に並んでいたのか、そんなことを想像したことはあっただろうかと。目の前の食が揺らいだことで、ぼくは食べることについて根本から考えずにいられなくなりました。

魅力的ないわきの食

ぼくの暮らす福島県いわき市の食を紹介しましょう。いわき市は東北の最南端、福島県と茨城県のちょうど県境にあります。東京からは北へ向かう常磐線《じょうばんせん》の特急「ひたち号」で二時間。人口は三三万人ほどで、東北では仙台に次ぐ規模の市です。かつては日本一だったほど広大な面積を誇り、各地に個性的なまちが点在しています。冬は温暖で夏もそこまで暑くはなりません。美しい海と浜、ちょうどいい規模のまち、千年の歴史を誇る温泉、そして、山海の美食が自慢です。と書くとちょっと宣伝っぽいでしょうか。よく言えばいろいろなものがちょうどいい、悪く言えばなんでもありすぎて器用貧乏なまちかもしれません。

沿岸部に点在する港には、様々な魚介類が水揚げされます。サンマやカツオ、サバといった回遊魚、近海で獲れるヒラメやカレイ、アナゴなども特産品です。小さな体に旨味《うまみ》が凝縮された「メヒカリ」はいわき市のシンボルになっていますし、ホッキ貝を使った「ホッキ飯」やらムラサキウニを豪勢に使った「ウニの貝焼き」など、贅沢《ぜいたく》な水産加工品も数多くあります（詳しくはまたのちほど）。

農業も盛んです。まずはコメ。面積が広大だけあってコシヒカリなどもかなり収穫されます。また、いわき市は東北一の日照量を誇っています。それゆえ「サンシャインいわき」という呼び名もあるくらいで、「サンシャイントマト」というブランドトマトが名産品の一つになっています。内陸ではナシやイチジクなどの生産も行われ、震災後にできたワイナリーでは、ブドウだけでなくナシを使ったワインを商品化しています。市内で生産される農産物を前面に押し出したレストランやダイニングなども増えてきました。いわきの食べ物、ぜひ一度味わってもらいたいです。

うちの地元だって似たようなものだ！　いや、うちの地元のほうがうまい特産品がある！という声も多いでしょう。都市部以外の土地なら、かなりの高確率で田んぼや畑が見つかるでしょう。海沿いには小さな港があり、どこかしこで「一次産業」が続けられていて、どこにも特産品や名産品があるもの。一次産業の担い手の多くは、地方に暮らしています。つまり地方に行くほど、消費者と生産者との距離が近くなり、かつ、その境界線も曖昧になっていきます。都市部のように「買う人」ばかりではない。誰かが何かの製造や生産に関わり、誰もが消費者でもあります。

消費者と生産者の距離が近いと、すぐに生産者のところに行って鮮度のいいものを購入することができます。そして、生産者の顔を見ながら直接購入することで、精神的な距離も縮まります。つまり信頼が生まれるんです。その生産者がどういう思いで、どんなこだわりを持って作っているのかを知るだけでなく、「この野菜をこう調理すると日本酒に合いますよ」なんて、ぼくの味の好みまで考えてもらったうえで、おいしい食べ方を教えてくれることもある。そうしたやりとりを通じて、より季節を感じられるようにもなるはず。生産者や料理人たちとつながると、間違いなく、暮らしはより「おいしく」なっていきます。

一方で、都市部は、ある意味「消費」に特化しているので、とにかく全国各地のおいしいものが食べられます。安価な大量生産品から高級ブランド品まで多様すぎるほど選択肢がある。それはやはりすごいことだと思います。ただ、都市部で購入する商品は、いったん流通に乗っているので、そのコストが間違いなくかかっています。生産地の農協や漁協の「直売所」を訪れてみてください。めまいがするほど安い値段で、最高品質のものが売られていますから。

以前、福島市にある飯坂《いいざか》温泉に行った時のことです。飯坂地区はモモなどを育てる果樹農家が非常に多いことで知られているので、山あいの地区で見つけた果樹園に入ってモモを買ってみました。スーパーマーケットなどで売られている価格などを考え、一個一五〇円くらいだろう、三〇〇〇円なら二〇個くらい買えるし、友人たちにお裾分けにするのにいいだろうと考え、「家庭用で三〇〇〇円分」を注文しました。親父さんが「家で食べんだね？　贈答用じゃないね？」と確認してきたので、「そうです、家で食べます」と再度念押しして親父さんが来るのを待ちました。お父さんが持ってきたモモを見て驚愕《きょうがく》しました。親父さんが抱えたケースには、「えっ？　一体何個入れんの？」と思わずにいられないほどのモモが入っていました。段ボールに入れてもらうと、五〇個はあったでしょうか。

確かに、スーパーなどに流通する規格ではなく、いわゆる「傷物」と呼ばれるものですが、小さな傷が見た目でちょっと気になるくらいで、味には何の変わりもありません。紛れもなく、福島県飯坂産の「あかつき」です。そのあり得ないほど豊かな様を写真に撮り、ツイッターでつぶやくと、なんと三万もの「いいね」がつきました。田舎の人たちは「田舎あるある」として語り、都市部の人たちはその豊かさ、安さに驚く。そこにはギャップがあるように見えました。流通している価格感が、生産地と消費地で全く違う。地方の生産地、供給地ならではの物量。それをリアルなものとして感じられるのが、地方かもしれません。

似たような話は、もちろん港町にもあります。以前、マーケティングの仕事を請け負って、いわき市の山間部と沿岸部の住民に水産物の消費動向調査を行った時のことです。「一週間

毎年みられるサンマ漁の光景

にいくらくらい魚を買いますか?」という質問に対する答えを調べていくと、意外にも山間部の人たちの方がお金を払っていることがわかりました。いっぽう「一週間にどのくらい魚を食べますか?」という質問に対しては、沿岸部の人たちの方が何かしらの魚介類を食べていることが見えてきました。ここから何が読み取れるかというと、「沿岸部の人は魚にお金をかけないが食べてはいる」ということです。

個別に聞き取りをしていくと、港町の人たちにとっては、魚は買って食うものではなく「お裾分けしてもらって食べるもの」という感覚が強いことがわかってきました。水産関係に知り合いが多いから美味しくて安い魚が手に入る。「わざわざ高く買って食べるものではないでしょ?」というわけです。一方で、山間部の人たちは魚を食べたいと思っているけれど、身近なところに水産関係者がいないため、スーパーで値段の高い紅鮭《べにざけ》などを買って食べたりしているわけです。

サンマという魚。今でこそ資源量の減少や温暖化の影響で水揚げ量が減り、食卓離れも進んでいますが、ぼくが子供の頃、今から三十年以上前は、地元の小名浜漁港にもサンマがかなり水揚げされていました。サンマは当時は大衆魚です。秋になれば一尾何十円という価格で売られていましたし、サンマは買って食べるものではありませんでした。水産業者の知り合いなども少なくないので、秋になるとサンマが入った発泡スチロールのケースが定期的に玄関に置いてあるんです。箱の中にはおよそ二〇尾近く入っているので、その日からサンマ祭りが始まります。まずは刺身や塩焼き、次の日も塩焼き、三日目あたりから煮魚とか揚げ物も入ってきて、最終的にはすり身をハンバーグのようにして焼いた郷土料理「ポーポー焼き」が、晩ご飯だけでなく弁当にも入ってきたりする。「母ちゃん、またサンマかよ」とツッコミを入れるところまでが「旬」なんだと思います(そして新しい箱がまた届く)。

つまり、旬というのは、人によってはなんとなく甘美な響きのする言葉かもしれませんが、生産地においては「食い飽きる」「そればっかり食ってる」時期にほかなりません。だからこそ飽きないように多様な調理法や食べ方が発明され、食文化として引き継がれてきたのでしょう。

風土から食は生まれる

それともう一つ。地方の食について特筆すべきことはコメのうまさです。コメは親戚からもらうので買ったことはない、なんて人も多いかもしれません。コメは全国で作られていて、各地に様々なブランド米があります。新潟県のコシヒカリをはじめ、北海道のゆめぴりか、山形のつや姫、秋田のあきたこまち。東北を見回しても、各地にブランド米があり、基本的にコシヒカリはどこでも作っている。全国で食味を競い合っているのでコメのクオリティはますます上がってきています。いわきのコメは、確かに「食味コンテスト」などでは他県に上位を譲るかもしれないけれど、日常的に食べていくというのなら十分な質の高さを保持しています。どこにでも売っていて、価格もお手頃です。

コメのうまさは、コメだけにとどまりません。コメがうまいということは、そのコメで作られる味噌もうまいし酒もうまい。コメどころ、すなわち酒どころ、というわけです。全国有数のコメどころである福島県は、毎年秋に開催される「全国新酒鑑評会」において七年連続で金賞受賞蔵数全国一位に輝いています。圧倒的強さを誇り、もはや「日本一の酒どころ」と言っちゃってもいいかもしれません。酒がうまいということは、飲み会が楽しくなる。楽しいから食べ物もおいしく感じられる。思わず酒も進んで、なんだか幸せな気分になる。ぼくはすっかり福島の酒にハマってしまい、自宅に友人たちを招いて飲み会を開く回数がだいぶ増えました。

その土地の酒、つまり地酒は、その土地の食べ物を合わせるのがいい。たとえば、福島県の海のまち、浪江《なみえ》町《まち》に鈴木酒造店という酒蔵があります（震災後、山形県長井市に移転）。そこで醸される人気の酒に「磐城壽《いわきことぶき》」という酒があります。パンチ力があり、コメの旨味《うまみ》がふくよかに感じられ、とりわけカツオに合うとされています。浪江という港町で、旨味の強いカツオに合うように自然と強い風味が求められてきたのでしょう。カツオの刺身を食べるとき、もし、淡麗な純米大吟醸などを合わせてしまうと、カツオの旨味に負けてしまい、場合によっては生臭さを感じてしまうかもしれません。ところが磐城壽はそうはならない。つまり地酒は、その土地で愛される食材と一番相性がよくなるように作られている。その土地の食べ物をよりおいしくいただくために、酒は、地元の文化と一緒に育てられてきたものなのでしょう。だいたい、その土地で取れたコメや水で作られたら、その土地の食べ物に合わないはずがないよな、という気もします。

「風土」という言葉があります。その言葉の意味は、ぼくにとっては、「その地域の風と土が、その土地のうまいものを作る」ということ。うまい酒と食べ物がある。それこそ、ぼくがいまいわきに暮らしている最大の理由です。食べているうちに、ぼくの体もいわきの風土に影響され、そういうものをうまいと感じるように育てられてきたのかもしれません。

かまぼこから考える、食との距離感

地域で働いてみたい。そう思っている人におすすめしたいのが、食に関する仕事に就いてしまうことです。農業や漁業といった一次産業だけでなく、食品製造に関わる仕事もあります。消費者としてだけでなく生産者の立場から食を見直すことで、自分のこれまでの暮らしや地域の見方に、別の角度から光を当てることにつながります。ぼくは、食に関わる仕事をするようになり、いままで以上に地域の魅力や課題が見えてきました。

最初に紹介したように、二〇一二年に、それまで二年ほど勤めていた木材商社を辞め、いわき市の永崎《ながさき》という海沿いの町にあるかまぼこメーカーに転職しました。前の章で映像作家として登場した、友人の高木市之助くんがすでにそのかまぼこメーカーに勤めていて、仕事に関する話を聞いていたこともあり、食の世界に興味を持つようになったんです。仕事の面白さややりがいだけでなく、福島県で食に関わるすべての人が経験したであろう「風評被害」についての話も聞いていました。福島第一原子力発電所の爆発事故により、広範囲に放射性物質が飛散し、福島県の食品の安全性が揺らぎました。多くの消費者が不安を感じるだけでなく、さまざまなメディアを通じて不確定な情報が飛び交い、それを慮《おもんぱか》ってか、店頭から福島県産品の取り扱いがなくなったり、他県のものに切り替えられたり、価格が落ち込んだりという経済的な被害が生じたのです。これが「風評被害」です。いわきのかまぼこメーカーも例外ではなく、震災後に一度落ち込んだ売り上げが回復せず、マイナスイメージに苦しめられていました。

ぼくは、原発事故直後から、風評被害の問題はつまるところ「コミュニケーションの問題」だと感じていました。現場の状況や取り組み、放射線に関する情報が圧倒的に伝わっていない。安全性を担保する自社の取り組みや、商品の美味しさ、こだわりを、生産者が消費者にダイレクトに伝えることができれば、きめ細やかなコミュニケーションにつながり、お客は戻ってきてくれるはずだと。ただ、生産者サイドには、時間的にも人員的にも余裕がないだろうとも感じていました。そこで、これまでテレビや雑誌の会社に勤めてきたぼくの経験が活きるかもしれない。いや、活かさなければと思ったんです。

結果的に、二〇一二年の春から二〇一五年に独立するまでの三年間、ぼくはかまぼこメーカーで広報と営業を担当しました。この特別な三年間で、食に対する意識が大きく変わりました。いままでは「消費者」でしかなかったところに、それとは反対の「生産者」の見方がインストールされたからです。いままで以上に食の安全について深く考えるようになりましたし、流通などにも関心が生まれました。一〇〇円ショップで売られているような食品にも、ものすごい技術やノウハウが濃縮されていることもわかりました。と同時に、地元の食品製造業が抱える課題も見えてきましたし、何より、胃袋に入れるものに対して自分がいかに無関心だったか、ということに気づかされました。本書で繰り返し書いているように、やっぱり魅力と課題は同時に発見されるものなんですね。

この発見は面白さにつながります。いままでわからなかったことがわかるようになったり、いままで見えていなかったことが見えるようになるのは、ものすごく「面白い」ことです。テレビ番組などで、慣れ親しんだお菓子やファーストフードがどのように生産されているのか特集されることがありますが、あれと同じです。「慣れ親しんだ普通のもの」に利用されている技術や、これまで知らされていなかった原料や味つけ、生産の「秘密」を知ることは、ものすごく面白いことであり、さらなる信頼を作る機会になるわけです。

ひとつ例を出してみましょう。スーパーに売られているかまぼこがありますよね。ピンクとホワイト、だいたい二種類並んでいます。あのかまぼこの原料はなんという魚か知っていますか？　多くの場合、「スケソウダラ」というタラが使われているはずです。スケソウダラは日本の海域でも獲れますが、数量も多くなく、価格的にも安価なかまぼこには向かないので、北米のアラスカ沖、ベーリング海で漁獲されています。

原発事故後、多くの人から「福島県産のかまぼこには、福島の魚介類がノーチェックで使われているのではないか」という声が寄せられました。地元の魚を使ってかまぼこを作っているメーカーも国内には数多くありますので、きっと「地元の港に水揚げされる魚で作られる」と思っていらっしゃったのでしょう。ところが、いわきで作られているかまぼこは、先ほど説明したように北米アラスカ産スケソウダラのすり身で作られます。しかもそのすり身、いわきの工場ですり身にされているのではなくて、ベーリング海で操業している船の中で加工され、船の中で冷凍保存されます。かまぼこメーカーは、その「冷凍すり身」を商社を通じて購入し、製造するときに解凍してかまぼこを作っています。つまり、「福島県産のすり身を使っていないので、原理的に放射性物質は混入しない」ということです。

入社する前は、ぼくも、おいしいかまぼこだから地元の魚を使っていると勘違いしていました。全国には、地元の海に水揚げされた魚を使ってかまぼこを作っている産地もありますし、ぼくの勤めていたメーカーでも地魚を使った高級かまぼこは作られていました。ですが、そういう一級品ばかりでは全国の食卓や外食産業を底支えできません。安価で大量に供給できるよう規格化された商品（コモディティ商品と言ったりする）が必要になってくるわけです。業界的には「リテーナー成形かまぼこ」と呼ばれていて、リテーナーという金型にすり身を入れて蒸し上げる「板かまぼこ」のことを指します。いわき市は、このリテーナー成形かまぼこの生産量が、震災前まで長く日本一でした。

問題は、そうした情報を、メーカー側がほとんど出していなかったことです。工場の主要な取引先は市場です。つまり「B to B」の商品。消費者に直接販売するのではなく流通業者に販売する業態だったため、消費者に直接伝えようという意識もチャンネルも、そもそも存在しなかったわけです。多くのメーカーが、消費者ではなく流通業者ばかりを見ていました。

震災後、情報発信が必要になっても急にはできません。

ぼくの勤めていたメーカーでは、いわゆる「OEM」、大手メーカーの商品の製造を担う業態でもかまぼこを作っていました。日本で最も有名なかまぼこ産地は神奈川県小田原です。ラベルの販売元の欄には小田原の会社の名前しかないので多くの消費者が小田原のかまぼこだと思ってしまいますが、製造元はいわきの工場だったりするわけですね。食品には製造元と販売元があり、それが異なることはよくあります。世の中の多くの人が「福島県産品のかまぼこは危険なのでは?」と考えているその時、工場では「小田原のかまぼこ」も粛々と生産されていました。もちろん、大手のメーカーは商品の安全性やメーカーの加工力の高さを知っているからこそ注文するわけです。ただ、そういう根底の情報は、多くの場合世の中に出てこない。そもそも、かまぼこがどうやって製造されているかなんて、多くの人は知らないわけです。

とするならば、放射能汚染の情報も大事ですが、それ以上に、そもそもかまぼこはどのように作られているのか、どのような原料が使われ、どのような工程で生産されているのかを徹底して開示していけば、新しいファンを開拓できるのではないかとぼくは考えました。福島県産品に疑念を抱いている人が戻ってきても、客が増えたことにはなりません。売り上げを増やすには新たな顧客獲得が必要です。そういう時に有効に働くのは、安全に関する情報ではなく、かまぼこそもそもの魅力をしっかりと伝えていくことなのではないか。ぼくはそう考えるようになり、数々の実践をしていくことになります。

ポジティブな公私混同

ぼくの大きな任務は、一言で言うならば「ブランド・コミュニケーション」です。「ブランド・コミュニケーション」とは、企業が伝えたいアイデンティティを消費者に伝え、イメージを作っていくためのコミュニケーション活動を行うことをいいます。ただし、ぼくの場合は「ブランド・コミュニケーションをやるんだ！」と思っていたわけではありません。自分にできることを必死にやっていただけ。後になってマーケティングの本を読んでいたらこの言葉を発見し、「自分がやっていたことはブランド・コミュニケーションだったのか」と気づいたのと、横文字で〝かっこいい業種感〟が出るので、いま使ってみただけです。

まず、同僚の高木市之助くんとタッグを組み、オンラインショップの立て直しに臨みました。彼は当時は職人として仕事をしていたのですが、東京ではＶＪや映像作家として活動するなどクリエイティブな引き出しをたくさん持っていました。いまはすでにかまぼこメーカーを退職し、いわきを代表するグラフィックデザイナーとして活動しているのですが、その高木くんと、ほぼ自力で新しいオンラインショップを立ち上げ、日々の情報発信にあたったのです。商品のアピールだけでなく、製造現場も許される範囲で撮影してSNSに投稿していきました。自社のかまぼこを使ってくれているラーメン屋さんやそば屋さんの声を伝えたり、自分たちで考えたレシピなども積極的に発信しました。

撮影した写真は何千枚あったでしょうか。写真の担当はぼくでした。初めは見よう見まねで撮影していたのですが、ある時期から、かまぼこが「こう撮ってくれ」という声が聞こえてくるように感じられてきました。どう撮影したらかまぼこが魅力的に、おいしそうに見えるか、少しずつ分かってきたんです。また、知れば知るほど、かまぼこという食材の魅力に気づかされました。本来は、自分の会社の商品について発信すべきですが、しばしばそれを逸脱し、かまぼこの歴史や、それを育んできたいわき市の文化についても関心は膨らみ、もはや自社のアピールにつながらないような遠回りの記事も書くようになっていました。

ぼくが「かまぼこ初心者」だったことがよかったのかもしれません。ぼくの感じた「面白い！」を、お客さんも、そのまま受け取ってくれていたようなのです。「そんなふうに作られていたんですね」、「かまぼこって面白いですね」、「いわきはとても魅力的なところだったんですね」と、好意的な声が寄せられるようになり、それに伴って、オンラインショップの売り上げも右肩上がりで伸びていきました。

自分の興味・関心と、お客の興味・関心が「同期」し、それが売り上げとなって表れていくような感覚でした。その「同期」の感覚こそ、特にローカル企業のブランド・コミュニケーションで大事なことだと思います。ブランドというのは共に作っていくことにほかならないからです。特に、原発事故直後は、食の信頼が揺らいでいた時期でしたし、被災地のメーカーを応援したいという機運もありました。とはいえ、一方的に高所から伝えていたのでは信頼を得られなかったかもしれません。ユーザーと同じ目線で語ったことがよかったのだと思います。ぼくがかまぼこの魅力を学ぶプロセスは、同時に、新たな顧客がかまぼこの魅力を学ぶプロセスでもあったわけです。

ぼくの暮らしも変わりました。食卓には自然とかまぼこが増えました。もともと練り物が好きだったということもあるのですが「社員割引」があったんです。高級なかまぼこを食べるときには、自宅に友人も招いて飲み会をやります。かまぼこに合う地酒を買おう、酒屋のマスターや女将《おかみ》に酒のことを教えてもらおう。せっかくならおしゃれな酒器に入れよう、その酒器を手に入れるために陶器市に行こう。そうして次々に新たな出会いが生まれ、その模様をＳＮＳやブログで発信しちゃうんです。ぼくは、誰よりも暮らしのなかでかまぼこを楽しんでいる自信がありました。だから、その模様を「ダダ漏れ」させていけば、さらなる「同期」が生まれると考えていました。

大事なことは、かまぼこメーカーの広報という「公」の立場と、ぼく個人の「私」の立場を「混同」させることです。まずは自分の暮らしを面白くしようとする。そこに会社の商品や取り組みを重ねて、それを発信していく。すると、その公私混同がポジティブに回り始め、自分の楽しさと、情報の受け手の感じる楽しさが同期していきます。その手応えが感じられるのが、地域ならではの働き方。地域で働くときは、ぜひ食に関わる仕事を探してみてください。あなたの食卓が、地域とダイレクトにつながるはずです。

放射能測定と美食

かまぼこメーカーでの仕事を通じて、ぼくはいろいろな人と出会いました。当時は、地元の食について多くの人が悩み、考え、アクションを起こした時期でもありました。話を聞かせてほしいとか、シンポジウムをやるので話してくれとか、そんな機会がたくさんあったんです。そこで出会った有志たちと始めたのが「いわき海洋調べ隊うみラボ」の活動です。この活動は、毎月一回、福島第一原発の沖に船を出し、そこで魚を釣って放射線量を測定し、ブログで情報発信するというものです。二〇一三年の秋から二〇一八年ごろまで、およそ三〇回ほど調査・計測を続け、魚を釣っても放射性物質が検出されなくなった二〇一八年以降は、メンバーそれぞれが純粋に釣りを楽しむ、というスタイルになってきました。

さて、少しだけ、魚のことを科学的に考えてみましょう。先ほど、福島の魚からは放射性物質が検出されなくなったと書きました。なぜでしょうか。一言でいえば老いと寿命です。原発事故後、極めて濃度の高い汚染水が海に流れ出ました。汚染された魚は、その汚染水の影響をまともに受けたのですが、そのときに被曝《ひばく》した魚の多くが、すでに寿命で死んで代替わりしたか、長生きしている魚も、放射性物質が希釈された海で育つうち、体内にため込んだ放射性物質が排出されてきたのです。

ではどうして体内に取り込んだ放射性物質の排出が進むのか。ぼくがこれまでに学んできたことをかいつまんで説明していきましょう。海水魚には、自分の体の塩分濃度を一定に保つため、海水から摂取した塩分を外に排出する機能が備わっていて、セシウムという放射性物質が、その塩分と一緒に体外に排出されるからです。厳密には、塩分と結びついて排出さ

地元の水族館の協力で行われた放射線量測定の様子

れるのはカリウムという物質なのですが、セシウムとカリウムの構造が似ていることから、カリウムと一緒にセシウムも排出されるのだそうです。確かに事故直後は、このセシウムの値が高い魚がたくさん見つかりましたが、事故から年月が経過するほど、体内に取り込んだセシウムが外に排出されほとんど検出されなくなっている。魚の体の機能を理解することが大事です。

と、なんだか物知り顔で解説してしまいましたが、そもそもぼくは理系の学科がとにかく苦手で、高校三年の時には数学や物理を勉強しなくてもいいという理由で「私立文系コース」に進んだ人間です。原発事故後、福島県内では「放射線防護学」や「物理学」の必要性が論じられたりもしましたが、小難しい話は一切聞き

うみラボで釣りをマスターする

たくありませんでした。にもかかわらず、福島の海の汚染について、少しずつ科学的に理解できるようになってきたんです。なぜ理解できたかというと、魚が「食べもの」だからです。

原発事故は、ぼくたちから多くのものを奪っていきました。ぼくは、原発事故に対して大きな怒りを抱いています。いまもです。怒っているからこそ学ぼうとしたのだし、自分のできる範囲で奪われたものを取り戻そうとしました。ただ、ずっとブチ切れながらやっていると疲れるので、できる限り穏やかな気持ちで、面白く、楽しく調べようと努めただけです。原発事故に対する怒りと、福島県の海の幸を楽しもうとすることは、ぼくの中でしっかりと両立しています。

うみラボでは、地元の水族館の獣医の先生や、放射線測定のプロフェッショナルの先生たちにも支援してもらい、合計三〇回ほど海洋調査を行ってきました。その結果、福島沖の魚の状況は、全く心配ないことがわかりました。魚の汚染を調べるには線量を測らなければいけません。「とにかく魚を釣る」ことが求められます。魚を釣るには、魚がどこに暮らし、何を食べているかを知る必要があります。ゴカイを餌にするのか、イワシのような小魚を餌にするのかで釣れる魚が違ってきたりします。水深のことも知らなければいけません。海底が砂地か岩場かでも違ってきますし、狙う魚の大きさによって仕掛けが変わってきたりします。そうした「釣り」を通じて、ぼくは魚の生態を学びました。

それだけではありません。ぼくは原発事故当初、福島の魚はほとんど汚染されていると思っていたのですが、回遊するカツオやサンマはほとんど放射線は検出されず、ヒラメやメバルといった海底に棲《す》みつく魚のほうが線量が高いことがわかってきました。また、同じ海底に棲みつく魚でも、寿命が長く、ほとんど移動しない魚のほうが線量が高いのです。回遊する魚は常に移動しているので、原発近郊で被曝する機会がほとんどない。一方、移動しない魚は、原発近郊の海域で被曝し続けてきたわけですね。考えてみれば当然なのですが、ぼくは初心者だからこそ、そうした基本的なことを深く納得しながら調査を続けることができました。だから強い納得を持って安全性を理解できたんです。

調査は、釣船に協力を仰いでいました。魚を釣るときに、船長さんや獣医の先生から、この魚はこうやって食べるとうまいという、放射線防護には役に立たない情報をたくさん教えてもらっていました。釣った魚は食べずに測定に回してしまうので、その時は役に立たなかったのですが、いまはどうでしょう。その時の無駄な知識で、ぼくは日々、福島の海の幸を楽しんでいます。そうそう、釣った魚の線量を測るには、その魚を捌《さば》いて刺身にし、さらに細かく刻んでから測定器に入れる必要があったのですが、ぼくはその過程で、魚の捌き方をもマスターしていたのです（笑）。

ぼくは、福島の海の汚染状況を調べに行ったはずなんです。そのはずが、予想に反し、釣りをマスターし、魚の生態について知り、魚の捌き方まで覚え、さらに、どうやって食べたらうまいかまで学んでいました。なんという「エラー」でしょう。そんなふうに楽しみながら情報発信もしていったので、ブログにも自然にアクセスが集まり、活動は話題になりました。我が家の食卓には、かまぼこだけではなく、福島県産のヒラメやカレイの刺身や煮魚、干物などが乗るようになりました。酒は、以前よりもおいしく感じます。

いまや福島県の海は震災前の姿を徐々に取り戻しつつあり、流通している水産物の安全性については何ら疑義を呈することはなくなりました。「試験操業」という規模を縮小した漁を余儀なくされているため水揚げ量はまだ震災前の二割程度までしか回復していませんが、福島県沿岸に水揚げされた魚たちは全国に流通していますし、豊洲市場からも評価され、「常磐もの」というブランド名が付けられています。皆さんの近所の魚屋にも、もしかしたら福島の魚が、加工品が、並んでいるかもしれません。

中途半端がゆえに得るもの

大事なことは、いつだって「結果として」浮かび上がってくるものだと思います。最初は、個人の興味や関心、怒りでもいいんです。もし、最初から「復興のため」とか「風評被害払拭のため」とか大上段に目的を掲げていたら、こんなエラーは起きなかったはずです。途中で疲れてしまったかもしれない。個人の動機で始まったからこそ、後づけで、結果として、地域にプラスに働くようなものが出てきたのだと思います。

思想家の東浩紀《あずまひろき》さんは、こうしたポジティブなエラーを「誤配」と呼んでいます。思想家が提唱する概念だけに哲学的に分析すれば何冊も本が書けるかもしれません。けれど、ぼくは哲学の人ではない。自分なりにゆるりと解釈することができます。あえてぼくなりに解釈するならば、本来届けようと思っていたものが、想定していたものとは違うところに間違って配達されてしまったがゆえに、そこに新しい解釈や意味、ポジティブな何かが生まれてしまう、そんな概念だと解釈しています。

東さんは、誤配には「ふまじめさ」が必要だと言います。部外者がふまじめに関わるからこそ、当事者だけでは想像もできなかったような突拍子もないアイデアや新しい風が生まれるのかもしれません。東さんの「誤配」の哲学はぼくにも大きな影響を与え、次第に、震災復興にこそふまじめさ、誤配が必要だと感じるようになりました。ぼくの一冊目の本、『新復興論』は、そうして書かれたものです。東さんは、『哲学の誤配』（ゲンロン、二〇二〇年）という本のなかでも、こんな言及をしています。

> 人間のやることとは、つねに予想外の効果を引き起こします。それに対してぼくたちは責任を取ろうとしなければいけないが、しかしその効果もまたつねに予想外のものだから、すべての責任を取ることはできない。そんな限界を表現しているのが「誤配」という言葉です。これは、ある種の無責任さ、軽薄さ、不真面目さの積極的な捉えなおしでもありま

す。（中略）無責任であるがゆえにコミュニケーションできるとか、無責任であるがゆえにコミットすることができる、といった「中途半端な実践」の価値を積極的に定義する必要があると考えました。

中途半端な実践。かまぼこメーカーでの勤務も、うみラボの活動も、中途半端だったがゆえに、本来意図しないところに間違って届いてしまったのではないか。東さんの文章を読むと、そんなことを考えます。ぼくは食べることがとにかく好きです。魚が好きです。だから、その「食欲」を通じて地域の関わりを作ることを心がけてきました。課題が解決するかどうかはわからない。食欲、つまり自分のふまじめな欲求からスタートし、地域の課題と重なり合う領域を少しずつ広げることで、ポジティブな公私混同が起きるように仕掛けてきました。そこで結果的に地域を巻き込んで進められたらいいけれど、仮に進まなくても、ぼくの食欲は満たされる。どっちにしたって勝利です。

これからも、自分自身が楽しく面白く感じられる場を作りたいと思っています。それが漏れ出ていくうちに、結果として「復興？　したのかも？」と思えたらいい。二〇一六年、うみラボは、国連が主催する「生物多様性アクション２０１６」において特別賞を受賞しました。メンバーたちの食欲や、知りたい、調べてみたいというふまじめさが生み出した、「誤配」の賜物《たまもの》かもしれません。

「さかなのば」の実践

魚から放射性物質が検出されなくなり、次第にうみラボの活動が落ち着いてくるに従って、ぼくは、もっとシンプルに魚を味わう場を作ることはできないか、とひそかに思案するようになりました。結局、どれほど「風評被害対策」を行ったところで、地元の人たちが白けていたり、本当においしい地元の魚を食べていなければ、プロモーションに意味がなくなると感じていました。広告代理店にカネをばらまいているようなものです。地元の人こそ、誰よりも、最高の環境で魚を楽しんで欲しい、というか、ぼく自身が楽しみたい。誰よりも「うまそう！」「羨ましい！」と言われたい。

そんなことを考えていたころ、うみラボのアドバイザーをしてくれていた大学の先生から「上野のアメ横にめっちゃ面白い店がある」という噂を聞きました。呑《の》める魚屋「魚草《うおくさ》」という店です。形式上は魚屋として営業しているのですが、その魚を刺身や珍味にしてつまみとして提供し、各地の地酒を楽しんでもらおうというコンセプトになっていて、魚屋と立ち飲み屋を足して二で割ったような店でした。上野ならではの経路で仕入れたカニやウニ、マグロたちは絶品。CAS冷凍という、急速かつ超低温で冷凍保存された三陸産のモウカザメの心臓や、プリップリのツブ貝なども思わず唸《うな》るほどの旨さでした。日本酒はどれも魚に合い、すべてが一杯五〇〇円とわかりやすい。立ち飲みなので客の回転もいいし、客と客の間隔がミチッと詰まっていて、隣の席の人と自然に会話が弾むような絶妙な雰囲気。最高でした。

「うおお、この店、めっちゃいいじゃん！」。そう思ったぼくは、この「呑める魚屋」というかたちをそのまま小名浜に持って行ったらさぞかし面白いイベントになるのではないかと確信しました。ぼくは店主の大橋磨州《ましゅう》さんを呼び出し、「呑める魚屋というコンセプトをパクらせてください」とお願いしてみました。共通の知人でもあった某大学准教授の名前が効いたのか、大橋さんは快くオーケーしてくれました。

いわきに戻ったぼくは、いつもお世話になっていた魚屋の若女将、松田幸子さんと、地元の小名浜でダイニングバーMUMEのマスターをしていた友人の梅谷祐介くんに声をかけ、「呑める魚屋」のイベントを相談してみました。二人とも乗ってくれ、二〇一七年一二月、

「さかなのば」で地元の魚と酒を愉しむ

鮮魚店さんけい魚店を会場にした魚食イベント「さかなのば」がスタートしました。イベントの中身はシンプルです。古き良き魚屋の雰囲気を残す松田さんの「さんけい魚店」に来てもらい、大将や女将たちの話に耳を傾けてもらいつつ、最高の刺身、干物、創作料理を食べてもらうというもの。お酒は、土地に根づいた地酒とヴァン・ナチュール（自然派ワイン）を梅谷くんにセレクトしてもらいました。おかげさまで、ほとんどすべての会で満員近くのお客様に来てもらっています。

ぼくは主催者なのでイベントの司会や受付などもやらなければいけないのですが、ぼくが誰よりも楽しみたいと思って企画したイベントなので、ぼくももちろん飲みます。愛する小名浜の魚屋で、仲間たちに囲まれて味わう酒と魚が旨くないはずがない。毎回、千円札が飛ぶように消えていきました。助成金などを申請していたわけではないので、ぼくは一円も儲《もう》からないし、むしろ飲食代で出費のほうが多いのですが、やってよかったし、コロナウイルスの流行が終わったら、また再開したいとも思っています。

こんなことを言うと友人たちに怒られそうですが、イベントは満員にならなくてもいいんです。ぼくが「いやあ、うまかった」と思えれば、まずはそれでよし。自分たちが楽しめたらいいんです。震災復興とか魚食振興なんてことを掲げる必要はありません。まずは個人から出発して、自己完結したっていいんじゃないでしょうか。第二章では「スクウォッティング」から、公共性が「後付け」で生まれてくることを考えました。まずは自分の好きなこと、興味や関心を通じて地域との接点を作る。「さかなのば」もまったく同じ建て付けです。

最初は「自分たち」でやる。とにかく面白い企画を目指してください。そのうえで、そこはかとなくプレスリリースを流しておいてメディアに取材に来てもらう。企画が面白そうなら取材には来てくれます。すると、今度はそのメディアを通じて、新たな切り口で企画が伝えられていきます。すると、あたかも公共的な取り組みであるかのように見えてくる。そのあたりは、ぼくがテレビ局に在籍していたことが役立っているかもしれません。記者がどんな出来事を取材したくなるか、よくわかっているつもりです。自分たちはシンプルに楽しんでいるだけ。それが社会から見たらどういう取り組みに見えるか、どのような大義名分に結びつけられるかは、メディアに任せてしまいましょう。

この章では、食について取り上げてきました。食べることは生きることです。食べることが楽しくなれば、生きることは、今よりきっと楽しくなるはず。地域には、豊かな食材がたくさんあります。個性的な生産者や、まだ光の当たっていない漁師や、まだ体験したことのない組み合わせがまだまだ生まれるはず。

じゃあ、どうやったらそれを組み合わせられるのか。答えは、自分のなかにあります。写真が趣味なら撮影をくっつける。ダイエット中ならカロリーオフの料理教室。子育て中なら離乳食や食育。国際交流が好きなら地域に暮らす外国籍の人たちと企画してもいい。酒が好きなら利き酒会を。企画はいくらでも浮かんできます。食べることは、地域をまるごと胃袋に収めることです。人と人、地域とあなたを、力強くつないでくれるはずです。せっかくうまいものがあるところに住んでいるんですから、そのうまさ、骨までしゃぶり尽くして、その骨でダシを取って雑炊を作るくらいまで味わっていきましょうよ。

第四章　ローカル「クソ」話

いいことばかりでない

本書ではここまで、メディアや場づくり、食などの話題を通じて、ローカルの「魅力」について語ってきました。第三章までを多少強引にまとめれば、「地方は食べ物もおいしい、風景も美しいし温泉もある。食を通じて生産者とつながったり、自分でメディアを作ったり企画を立てたりして主体的に関われたら、最高に楽しいローカル暮らしが自分で作れるぜ」という感じでしょうか。でもなあ、間違ってはいませんが、すべてがそうとも言い切れない。自分で書いていて「んなはずねえべ！」と突っ込みたくなるくらいです。

地方暮らしをやたらに推奨する本も同じかもしれません。そこで描かれるローカルは、常に魅力たっぷりで、移住すれば最高の暮らしが手に入るように見えてしまいます。なぜそう見えるかというと、ローカル暮らしを勧めるメディアには、多くの場合、自治体から広告費が支払われているからです。出稿前に自治体のチェックが入りますから、地方にネガティブな記事は書けません。それに、そもそも地域暮らしの魅力を発信するためのメディアですから、当然、そこでの暮らしを楽しんでいる人が取材対象になりますよね。こんな地域つまらない！　なんて思っている人は、そもそも取材されません。だから移住促進メディアには、地域のキラキラした部分や成功事例ばかりが取り上げられるわけです。もちろん嘘《うそ》ではないだろうけれど、実際には、もう少し「クソ」なこともあるはずです。

そこでこの第四章では、ぼくがいわきに戻ってきてから体験してきた数々のクソな話を紹介していきたいと思っています。もちろんいわきばかりでなく、東京にも大阪にも、日本中どのまちにもローカルならではのクソな話はあるはずです。都市だって当然いいことばかりじゃない。それと同じで、地域だって、いいことばかりじゃありません。クソを抱えて生きていかざるを得ない。大人のたしなみとしては、つべこべ言わずに耐えていくのがいいのかもしれませんが、ぼくは思わず「クソだなあ」と言及しちゃうタイプなので、この本では包み隠さず書いていきます。心の中で思っているより、「クソだ」と書いてしまうとなんだか少し客観視して、面白《おもしろ》がれるような気がしませんか？

地方暮らしの金銭事情

これから地方で暮らすぞ、という人にまず話しておきたいのが「お金」の話です。地方の一般的な企業の給与は、東京など都市部から移住してくる人にとってはショックでしょう。中学生や高校生の皆さんにとっては、もしかしたら夢を打ち砕かれるかもしれません。もちろん、地方によって最低賃金は異なりますし職種によっても異なると思いますが、地方は総じて給料が低いと言わざるを得ません。

東京都の最低賃金は時給一〇一三円ですが、ぼくの暮らしている福島県は七九八円。おおよそ二〇〇円違います。一日八時間、週五勤務で月に二二日働くと、一カ月の労働時間は一七六時間。これが一二カ月で二一一二時間です。これに時給差二〇〇円をかけ算してみると四二万二四〇〇円です。一〇年続けたら四二〇万円もの収入差が生まれます。かなり大きな差ですよね。もちろん、地方は、経済的価値以外に得られるものも多いので、判断の分かれるところだと思いますが、「経済的な価値」や「金銭的な収入」を得たいと思ったら地方はなかなか厳しいということは間違いなく言えると思います。

ではこの「地方暮らしとお金」に関して、まず最初に、ひとつ指針になる数字を紹介しておきます。それが「夫婦で毎月三〇万円」。結婚したばかりのころ、ぼくが頭の中にずっと想定していた目標額です。夫婦で三〇万円残すことができたら家賃を払ってもやっていける。うまく節約すれば、国内なら旅行も無理ではない数字だし、何より相場的に現実的な数字です。夫婦で毎月三〇万と聞いて、それなら十分すぎると感じるでしょうか。それとも、それで本当にやってけんの？　と思うでしょうか。都市部なら、夫婦どちらかひとりでも十分稼げる額ではあります。

ぼくの体験と実感では、ぼくの地元、福島県いわき市では「手取り二〇万円」の壁があります。二〇〇九年にいわきに戻ってきてハローワークで求職活動していたときもそうでした。額面が二〇万円に届かない仕事が多いんです。二〇万円を超えていても、税金やら経費やらを引かれたら、だいたい一八、一九万円くらい。大学や高校を卒業してすぐに正社員になり、その仕事を続けていたら給料もじわじわ上がるのかもしれませんが、ぼくのようなUターン組は三〇歳だろうと四〇歳だろうと、得られる給料は初任給水準からです。これもきつい。

特にいわきは産業の中心が製造業なので、ぼくのように技術も知識もない文系大学ＯＢは大変です。戻ってくるルートはかなり限られてしまいます。安定しているのは教職員や自治体職員、銀行員くらいのもので、実家が何かの商売をやっているというのでもなければ、正直なところ進学して戻ってくる若者はそう多くはありません。営業職や販売職、介護職や事務職はかなり悲惨で、正社員なのに給与が額面一四、一五万円という職場も珍しくありません。自治体の臨時雇用などで時給八〇〇円程度。最低賃金しか払わないと割り切っている企業も多いです。地元の同級生の多くは、男性なら工業高校を卒業して工場へ、女性は商業高校を卒業して事務職へ入っていきます。それがぼくの時代の「安定のルート」であったように思います。したがって、ぼくはこのいわきでは圧倒的なマイノリティと言えるかもしれませんね。あっ、もちろんこれはぼく個人の生活実感であり、バイアスもありますから、参考程度に考えておいてください。

地方での暮らしは、生活費もそれなりにかかります。特に自動車関連。地方は車社会です。仮に一家に車が二台あれば二年に一回の車検で二〇万円近く吹っ飛ぶし、自動車税や保険もバカになりません。日々のガソリン代もかかりますし、場合によっては駐車場代もかかります。ぼくの場合は「実家インフラ」を使えるのでかなり恵まれているほうだと思いますが、よそから移住してくる人、実家がそのまちにない人にとってはかなり大変でしょう。もちろん、そうした課題を突破しようとチャレンジすることが面白いわけですが。

自分の中の「勝利ライン」を下げる

もう少し憂鬱な話を続けます。数字の話にリアリティを持たせるために、ぼく個人のお金の話もしておきます。ぼくが勤めた、とある会社の最初の給料は手取りで一二万五〇〇〇円でした。試用期間中だったので仕方ないとは思いますが、この額はなかなかに厳しいものがあります。それから、ぼくの三五歳の時の年収は二四〇万円でした。毎月二〇万円ずつ給料をもらうと一二カ月でその数字になります。これ、地方ではそんなに悪い数字ではないんです。毎月二〇万もらえたら決して悪くない。ところが、大手転職サイトなどで「年齢別平均年収ランキング」を見てみると、三五歳男性の平均年収は「四九六万円」。ぼくは、その半分です。

大学を卒業したあとテレビ局で働いていたことを第一章で紹介しました。記者三年目、二五歳のときは年収で六〇〇万円以上もらっていたはずです。当時は働き方改革の前で残業代もかなり出ていたという条件付きですが。そこから数えて一〇年。一〇年分のキャリアが蓄積されていたはずなのに給料は半分以下。これもまた地方の現実です。

でも、そこで「なんでおれは……」と思い詰めてしまったら、人生そのものを悲観するしかなくなってしまうし、給料だけ見ていたら、そもそも移住なんてしないほうがいい。地方で暮らすなら、自分の中での「勝利ライン」を下げることも重要です。具体的に言えば、「いくら稼ごう」「これこれで成功しよう」というマインドではなく、「生きていければよし」「失敗しなければよし」と切り替える。つまり、「こうでなければ」と限定するのではなく、「これでもいい」と許容していくような考え方に切り替えられたら、だいぶ楽になるような気がします。そもそも、地方への移住は大きなチャレンジ。経済的に勝利したいなら、ぼくはテレビ局を辞めていません。そうではないものを心のどこかで求めているわけだから、多少の困難は、料理をおいしくしてくれるスパイスのようなものと思ってみましょう。

それに、これはとても大事なことですが、事実「その給料で暮らしている人たち」が、その地方には大勢いるわけです。その地方の平均的な収入で楽しんで暮らすノウハウやライフハックはあるはずだし、「低賃金でも楽しめる生活」や「金銭以外の収入を得る術」を自分で開拓することもできます。人生の価値や意味を、自分で決めるということがとても大事です。

と同時に、給料が不当に低かったり、理不尽な対応をされたときには、労働基準監督署や弁護士に相談したり、自治体のしかるべき窓口に相談するということも大事です。労働問題に敏感な地方議員とつながっておくことも有効かもしれません。あとで話題に取り上げますが、東京など大都市に比べ、地方の企業は労務管理やコンプライアンスの遵守に鈍感なところも多いです。それなのに、今の日本の学校では労働者としての当たり前の権利を教えてはくれません。会社でも教えてもらえません。だからこそ、賃金や労働にまつわるトラブルが増えているのだと思いますが、そういう意味でも、地方に行くなら、働くことについて知ることはとても大事です。

何なら、自分たちで勉強会やセミナー、トークショーなどを企画しながら、みんなで学べる場づくりをしたっていいかもしれません。本書で何度も書いていますが、自分の身に降りかかった課題を社会に開いていくことが、活路を開くことにつながります。

労働者に対する鈍感さ

震災後、ぼくの地元の小名浜《おなはま》にイオンモールができました。すごく便利で、月に最低でも四、五回は行きます。これまでいわき市内では買えなかった商品が当たり前に並んでいて、買い物の楽しさを思い出しました。都市部に住んでいる人は選択肢が多すぎるほど豊富ですから、イオンモールになんて魅力は感じないかもしれませんが、都市では当たり前に買えるものが買えなかったのが地方。イオンモールは、もはやなくてはならない「インフラ」と言っていいかもしれない。実はいわき市は、つい最近までスターバックスすらありませんでした。世界を代表する企業が綿密なマーケティングを行った結果「ここでは商売にならない」と判断されていた、ということなのでしょう。イオンモールの中にはちゃんとスタバも入りました（安堵《あんど》）。イオンモールはすごいんです。

そのイオンモールをめぐって、数年前にちょっとした「事件」がありました。間もなく開業というタイミングでイオンモールが大規模な採用を始めようというとき、地元の経営者たちで作られるまちづくり団体が、イオンモール側に従業員の給与をいわき水準に抑えるよう要望を出したんです。イオン側としては、それなりに給料を出さないとオープニングスタッフが揃《そろ》いませんから、好条件で募集をかけたいところです。が、地域の中小企業からするとその額では条件がよすぎる。地元企業から人が流出してしまうかもしれないじゃないか、それは一大事だ、ということで要望書を出すに至ったようです。

最終的には合意にはいたらなかったと聞いていますが、そもそもそんな要望書は企業による自由な競争を阻害することになります。労働者側からしても、給料や福利厚生の恵まれた職場に移ろうと思うのは当然ですし、その権利も当然ある。そうやって人材が流動することで競争力が高まり地域全体の労働条件が底上げされるわけですから、イオンで働く予定のなかったぼくから見ても「イオン、みんなのためにどんどん条件よくしてくれ！」と心の中で思っていました。本来なら、地元の企業だってイオンに負けられないはずです。給料を上げて、優秀な人材を確保しようと思ってもらいたい。でも、そうはならないんです。小名浜の経営者は、イオンが来る商機を活《い》かして自分たちは儲《もう》けたいけれど、人件費が上がって社員に逃げられるのは困るからイオンは給料をおさえろ、と考えているわけですから。

要望書を出します！　なんてことをブログやSNSに投稿する経営者もいました。気持ちはぼくにも理解できますが、そんな経営者たちの姿を見た若者たちはどう思うでしょう。この地域に未来はないな、と思ったのではないでしょうか。もっとも、そういう経営者が多いということが事前に分かったという意味では、若者にとってプラスだったかもしれませんが。

イオンモールの進出は、その地域の時給を底上げしてくれたという意味でよかっただけでなく、一部上場企業ではごく当たり前になっている「労働者の権利の保護」を地域の働き手に教えてくれたという意味でもよかったと思います。イオンで働いてみて初めて「こんなに恵まれているのか」「こんな制度やこんな手当があるのか」と気づいた人も少なくなかったはず。地方には、まだまだ労働者の権利を守ろうとしない企業も数多く残っています。仕事で使う備品を買うのに自腹を切らされる。有休がほとんど消化できない。有休がそもそもカウントされていない。体調を崩しても休めない。何年働いても時給は同じ。育児休暇を取ろうとすると「辞めて」と言われた。いまだに女性社員はお茶汲《く》み要員。そもそも給料が低い。いわきで実際に耳にしたことです。

特に中小企業の場合は、家族経営のところも多いので、人材が流動しにくくなり、外の風が入らず、古い体制が温存されているケースも多いように感じます。リスクを負って内部を変革しようとしたところでトップが変わらなければ意味がありません。目立って浮いてしまうのも怖いから、能力を隠したまま「言われたことだけやっていればいいや」と割り切っている人も少なくない。このような抑圧された環境もまた、古くからある問題を固定してしまっているのでしょう。UDOK.に集う仲間たちからも似たような話はいくつも聞いていました。みんな、グチをこぼす場所を求めていたのかもしれません。そのとき、もしもぼくが適正なアドバイスを出せていたら、UDOK.は、働く人たちの駆け込み寺のような場所になれたかもしれませんね。

「風通しの悪さ」が魅力を減らす

そんな「風通しの悪さ」は、地域の魅力形成にも大きく影響します。例えば、ぼくの勤めていたかまぼこ業界。実は、いわき市の板かまぼこの生産量は震災前まで日本一でした。日本を代表する「かまぼこのまち」だったんです。ところが、そのかまぼこは、直接消費者に販売するのではなく、市場やスーパーに「出荷」されるものであり、工業生産品として淡々と生産されているだけでした。工場にとって顧客はあくまで首都圏の大口の取引先であり、観光客や一般の消費者に販売しようというマインドが生まれなかった。外の空気が入らない、風通しの悪さゆえ、そうした業態が「当たり前」のものとして固定化してしまったのかもしれません。

業者が長年そんな感じで閉鎖的なので、市民には「かまぼこのまち」である事実がほとんど共有されず、したがって名産品も育ちませんでした。そんなふうに、企業の風通しの悪さが地域の魅力形成にも影響していくわけです。磨きあげれば地域の宝になるのに、実にもったいない話です。

また、大量生産品ばかりに傾倒すると、自社のこだわりや地域ならではの魅力を伝えることが疎《おろそ》かになります。むしろ特徴なんてないほうがいいかもしれません。板かまぼこというのは、すでに製造方法、製造機械、原料などが確立しており、他社との差別化が図りにくい商品です。となると、他社に勝つには一円でも安いほうがいい。できるだけ人件費をおさえようというマインドも働きます。会社の幹部は長年変わらず、現場が疲弊した時に社員を補充するだけ。それでは若い社員のモチベーションも上がりません。

いまふと思い出したのですが、かまぼこメーカー時代、たまたま話す機会のあった別の食品メーカーの経営者が、こんなことを言っていました。「小松君、我々にとって〝優秀な社員〟というのはどういう人か分かるか？　とにかく体が丈夫で会社を休まず、朝から晩まで黙って働いてくれる人だよ。余計なことを考える必要なんてない。体が丈夫であればね、バカなほどいいんだ」と。冗談を言ってる風でもなく、いたってまじめに話していたので、ぼくは余計に驚きました。と同時に、それが現実なんだとも思いました。経営者側にも、そうせざるを得ない理由があるのかもしれない。何とか会社を存続させるべく、人件費を下げて工場を稼働させなければならないのかもしれませんし、客先に無理難題を吹っ掛けられ、不当に安い仕事を受けざるを得ないのかもしれない。経営者だって、ある意味では資本主義の犠牲者なのかもしれないわけです。

いま、地方の多くの中小企業が苦境に喘《あえ》いでいます。構造そのものが固定化しているので、働く人たちの賃金は安いまま。さらに、少子高齢化や東京への一極集中も手伝って、働き手も大幅に減ってしまいました。それでも働き手を確保しなければならない企業は、外国人の技能実習生を受け入れざるを得なくなっています。公益財団法人国際人材協力機構のデータによれば、二〇一九年六月の時点で、日本で働く外国人技能実習生は三六万人にのぼっているそうです。技能を学んでもらうというのが大義名分ですが、実際には、事実上の「安価な労働力」として使われていることは多くの人の知るところです。地方の一次産業、製造業などは、もはやこの「安価な労働力」なしには成り立ちません。

ただ、これらの問題は企業だけの問題として片付けることはできません。ぼくたち消費者の「安さ」や「快適さ」を求める消費行動が、じわじわと生産者側に大きな負担を押し付けているかもしれません。またあるいは、最低賃金の引きあげやベーシックインカムの導入など、政治的合意によって解決を図らなければならない問題も数多くあるでしょう。つまり、政治に対する無関心もまた、地域の課題解決を阻んでいると言っていい。「自分の問題」として考えていくことが必要です。

食は多様でも、職は多様ではない

以前、とある女性社長が開催したパーティに参加した時のことです。たまたま何かの仕事でご一緒した縁でお招きいただき、ぼくは末席の方にいたのですが、上座のほうには、地元の錚々《そうそう》たる企業の社長たちがいました。マイクを振られると、社長は「オレが駆け出しの頃の彼女を可愛がってあげた」と言わんばかりのごあいさつ。女性社長はさかんに微笑《ほほえ》みを向けたり頭を下げたりしていましたが、地方都市の男性社会で実績を積み、事業を継続するのは並大抵のことではありません。セクシャルハラスメントやパワーハラスメントもきっとあったのでしょう。「悔しい思いをしながら事業を続けてこられたのだろうなあ」と勝手に想像してしまい、うまいはずの酒がまずくなりました。

ぼくの感覚では、地元の企業や団体の責任ある立場はほとんど男性が占めているので、女性の地位が向上したという実感もほとんどありません。職種に多様性がなく、特に首都圏などでキャリアを積んできた人ほど、そのキャリアにマッチする仕事がないように感じます。そしぼくも、地元に戻る前から「これまでの経験は生かせないだろう」と諦めていました。そしてその諦めから「晴耕雨読２・０」というライフスタイルが生まれました（第二章参照）。もちろん、そうした不合理な環境でも自分の力で開拓し、キャリアを生かせるような環境を自ら作れる人こそ優秀なのだ、という人もいるのかもしれませんが、そこまでしなくても、自分のやってきたことが生かせる職場が多いほうがいいですよね。食の多様性はあるのに、職の多様性がない。これも地方の一つの現実です。

ただ、「田舎だから女性が活躍できない」とは言い切れない面もあります。女性活躍の現状は自治体によっても異なるようです。例えば、東レ経営研究所が二〇一五年に発表した「男女平等が進んでいる都道府県は？」という調査結果があります。女性の大学進学率や、公務員や民間企業における女性幹部の割合などから四七都道府県をランキング形式で紹介しているもので、最も男女平等が進んでいる自治体として鳥取県が選ばれていました。二位は東京ですが、三位富山、四位高知、五位石川と地方自治体が健闘しています。県知事や市町村長、学校長、民間企業の経営者ら、つまり組織のトップが意識を変え、積極的に女性を登用していることがカギのようです。女性が各領域に入っていくことで、出産や育児に関する問題意識も生まれますし、それらへの理解が深まれば、男性の育休取得率なども上がるかもしれませんし、育児に関する労働者の権利を守ろうという動きにもつながります。

幼い娘を持つぼくにとっても女性活躍は大歓迎です。これから地方への移住を考えている人は、「女性活躍」や「子育て育児」の政策がしっかり取られているかどうかをチェックしてみるのもいいかもしれません。ちなみに、ぼくの暮らす福島県は三八位という結果でした。もしぼくが一位の鳥取県に住んでいたら、この本の内容も、少し違ったものになっていたかもしれません。

同質性という地方の課題

なぜこうした問題が温存されるのかというと、先ほどから繰り返している「風通しの悪さ」ゆえではないでしょうか。構造が、組織が、コミュニティのありようが変化せず、多様性がない。別の言葉で言い換えるならば「同質性」によって組織やコミュニティが維持されているからです。たとえば、地方にありがちな「ファミリー企業」。人材の流動性が阻害されると、第三者の視線が入らないため問題に気づきにくく、構造が温存されやすくなります。おじいちゃんが会長、お父さんが社長、いずれ息子が成長したら専務に、なんて企業は少なくありません。経営体制が安定するというメリットもありますが、家族・ファミリーという

「同質性」は強まってしまいます。

地方の場合は地縁も強く働きます。これも「同質性」と言っていいでしょう。ぼくは、たまたま面接した社長と同じ高校を卒業していたため、面接で提示された給料がいきなり五万円加算されたことがあります。ハローワークなど正面から就職するより、先輩や同窓生の人づてに紹介してもらったほうが条件がいいこともしばしばあります。その「同質性」は「排他性」を帯びることもあります。自分たちのコミュニティが傷つけられてしまうという防衛反応から、異なる考え方や価値観を排してしまおうという意志が働くからです。

もちろん、こうした家族的・地縁的なコミュニティのよさもあります。人材の流動性が少ないがゆえに気心知れた深い関係が生まれ、強い信頼になることもあるでしょう。組織にも一体感が出てきます。ファミリー企業ゆえの「アットホーム感」に居心地のよさを覚える人もいるでしょう。能力を競い合うようなギスギスした雰囲気はなく、若者の成長をゆるく見守ってくれるような会社もあります。その「距離の近さ」は、同質性のコミュニティの強みだと言えます。二〇一一年の東日本大震災の時、勤めていた木材商社の社長が、ぼくの家が海に近いことを心配して「遠慮なくオレの家を使っていいぞ。家族みんな連れてきたらいい」と言ってくれたことがありました。非常時にこういう一言を言ってもらえると、本当に心強いものです。

「大きな物語」からおりる

ただ、信頼できるリーダーに出会えるかは正直なところ「運次第」かもしれません。むしろ、経営者の世代的な同質性こそ大きな課題だと感じます。地域や企業のトップにいる年代の多くは、高度経済成長やバブル経済の絶頂を経験した世代。もちろん人によって考えは異なりますが、ぼくが出会った食品メーカーの社長のように、モノ・経済中心主義的な考えが根底にあり、人が中心にないことが多いように感じます。達成すべきは生産目標であり、経済性・生産性を高めることを第一とする。これまで日本は、経済は絶えず成長するという大きな物語を社会全体が共有していました。いまはつらくても、いずれは成長できるのだと。だからこそ人々は耐えることができました。企業もまた、それぞれの特性や長所・短所に合わせるのではなく、動き続ける機械に、経済に、人を合わせてきたわけです。けれど、そうした「ひとつの物語」に依存した社会は、もう崩壊しています。それに気づかず、人をモノのように扱う経営者はそろそろ退場してもらいたい。

ぼくたち世代は「ロスト・ジェネレーション」と呼ばれています。経済成長というまやかしに人生を狂わされてきました。少子化が進み、人が減り、まちづくりではなく「まちのたたみ方」をリアルに考えなければならない世代でもあります。そして何より、ぼくはこの福島で、効率よく大量にエネルギーを作り、地域に恩恵をもたらすはずだった、いわば大量消費・大量生産の象徴のような原子力発電所が爆発し、地域に人が暮らせなくなるという経験をしました。「大きなひとつ」が崩壊した福島で、これまでのような「大きなひとつ」の物語に戻ることはできません。「大きなひとつ」を脱すること。これは、ぼくの活動の大きなテーマになっています。

同質性がもたらす「風通しの悪さ」について憂鬱な話を続けてしまいましたが、ローカルの「クソ」の根源が見えてきたのではないでしょうか。けれど、先ほどから繰り返し考えてきたように、「同質性」からなるコミュニティのすべてがクソではない。クソなものがポジティブな効果を発揮する場面もあります。田舎の人たちの距離感は、田舎ならではの「温かさ」とか「距離の近さ」として語られることもありますが、「同調圧力」のようなものと表裏一体、紙一重でもあります。

紙一重ということは、ふたつに分けることができないということを意味しています。つまり、「面白いかクソか」という二項対立ではなく、その両方を内包しているということです。ポジティブな面を見せることもあればネガティブだと受け取れることもある。片側だけ都合よく切り離すことはできないのだから、その両方を引き受けるしかない。とするならば、「ローカルはクソか面白いか」という問いの立て方は、それ自体が間違いだということになります。ここで必要なのは、面白くもクソにもなりうるローカルをどのように引き受けていくかという問いであり、紙一重なローカルをそれでもポジティブに捉えていくための「新しい解釈」なのではないでしょうか。

それが浮かび上がるまで、もう少し解像度を上げて、ローカルのコミュニティを考えていきましょう。

農村型コミュニティ・都市型コミュニティ

大きなヒントになるのが、京都大学・こころの未来研究センター教授で、公共政策や科学哲学の専門家である広井《ひろい》良典《よしのり》さんの『人口減少社会のデザイン』(東洋経済新報社、二〇一九年)という本です。広井さんはこの本の中で、コミュニティを「都市型コミュニティ」と

「農村型コミュニティ」という二つの類型に分けて解説しています。前者は、組織や地縁に縛られず、あくまで個人をベースにつながり合うもの。後者は地縁的・共同体的な一体意識によって成り立ち、集団の中に個人が埋め込まれるようなものであり、この二つは、対立する概念ではなく相互補完的なものだといいます。そしてそのうえで、都市部の人たちにとっても、地方で暮らす人たちにとっても、集団を超えて人がつながる「都市型コミュニティ」を作っていくことが、人々の孤独を和らげ、自分にふさわしい「居場所」を作っていくことにつながるのではないかという論を展開しています。

「農村型コミュニティ」は、その同質性ゆえに強固な結束をもたらすけれど、自分たちの組織を外敵から守ろうとするため排他性も生まれてしまう。中に入ってしまえば心強いが、異物は排除され、出る杭《くい》は打たれがち。コミュニティのベクトルが内に向いてしまうから、風通しも悪くなりやすい。一方で、「都市型コミュニティ」は、同質性ではなく、自分の趣味や興味関心、あるいはスキルや能力など、あくまで個人にあるものからつながるコミュニティ。基本にあるのは、多様な「個人」です。

ただ、広井さんは、この「都市型コミュニティ」が都市部に根づいているとは言っていません。ここがポイントです。広井さんは、むしろ都市部の「居場所のなさ」を解き明かしたうえで、居場所のない都市部に人が集まるほど、出生率は低下し、人口はさらに減ってしまう。だから東京へ一極集中させるのではなく、地方に「多極集中」させていくことが、これからの日本に必要なのだと結論づけています。広井さんは「集団を超えて個人と個人がつながるような関係性をいかに育てていくかが日本社会の最大の課題である」とも語っています。これらの説明はぼくの実感とも重なる部分が多くあります。

新たな価値観をつくる

では、そんな「個人と個人がつながる関係性」は、どう作ればいいのでしょう。広井さんは、それはすでに地域で生まれつつあると本の中で書いています。まさにいま、ローカルを目指す人たちが、新しい関係性を作っているというわけです。ここ数年、地域の課題解決のため、さまざまなスキルを持つ人たちが地域の中に入っています。社会的な起業を志す人も増えていますし、全国の自治体で受け入れられている「地域おこし協力隊」などもそうでしょう。そこに課題があるとわかっているのに、わざわざその課題を解決しようと思ってやってくる人たちがいるというのは、すごいことだと思います。そればかりでなく、地域の魅力を二倍三倍に膨らませようと、地方に移住してシェアハウスやゲストハウスを立ち上げる人、メディアを立ち上げたりクリエイティブな活動をしている人もいます。新規就農する人もいれば、お店を立ち上げる人もいる。ローカルを目指す人たちの流れは今後も大きくなっていくでしょう。

面白いことに、地方を目指す人たちの多くは、さまざまなバックボーンを持っています。それが地域に多様性をもたらします。特に若い世代は、これまでの世代が求めてきた金銭的・経済的な結果ではなく、課題解決を通じた自己実現を目指しているように見えます。経済についても、これまでの貨幣一辺倒ではなく、贈与の経済などの議論も盛り上がってきました。確実に、これまでの価値観とは違ったモチベーションから地方を目指している人が増えているとぼくも感じます。先ほど書いた「経済成長／大きなひとつの物語」だけではない多様な価値観が、そこに生まれているわけです。

しかしその一方で、個人と個人のつながりだけでは難しいことも地方にはあります。農業や漁業などの一次産業、祭りや伝統芸能、あるいは地域の消防団などの防災活動などは、その土地に縛られているがゆえの愛情やプライド、切迫感が作り出すものでもあるでしょう。閉じたコミュニティゆえに、細く長く深く伝承されてきたものもあるはずです。そこに根差した当事者の強さは確実にあります。外からやって来る観光客や移住者は、つまりどこかで農村型コミュニティの恩恵にあずかっている。農村型コミュニティがなくなってしまったら、地域は立ち行かなくなるとも思います。

ローカルに魅力と課題が、面白さとクソがあるように、農村型と都市型のどちらかだけでは不十分で、両方あって初めて機能するものなのでしょう。ただ、現実には地域にも都会にも「個人と個人がつながるコミュニティ」は足りていません。常に新しい、個人と個人とのつながりをつくり、既存のコミュニティを攪拌《かくはん》させていく。新しいプレイヤーが生まれることで既存のコミュニティに風を通す。そんなつながりが、いま、求められているのです。

都市部では、人と人のつながりがそもそもないがゆえに「孤独死」などの現象がクローズアップされるようになっています。そこに、家族でもない会社でもない、新しいコミュニティをつくる。そこが新たな居場所になれば、命をつなぐライフラインになりうるかもしれません。人は社会的な生き物ですから、やはり孤独には暮らせない。人と人のつながりがあって初めて都市の「孤独」も楽しめるのではないでしょうか。地方にも、都会にも、「集団を超えて個人と個人がつながるような関係」が必要だという広井さんのコミュニティ論は、大いに賛成できます。

レッツの場で活動を記録する筆者（中央）

いるコミュニティ・やるコミュニティ

　ただ、農村的か都市的かというコミュニティの「腑《ふ》分《わ》け」では十分ではないようにも思います。ここ数年、ぼくは障害福祉に関わるようになりました。そこでぼくは、コミュニティには、スキルや能力でつながって何かに向き合う、目的遂行型の「やるコミュニティ」と、だれもがいたいようにいられ、存在することが許される「いるコミュニティ」のふたつがあるのではないかと感じるようになりました。この「いる」と「やる」について少し考えてから、本章を閉じることにしましょう。

　二〇一九年、ぼくは、静岡県浜松市にある認定NPO法人クリエイティブサポートレッツの事業所に月に一度通って、そこで送られる日々を部外者の目線で書き綴《つづ》るという仕事をしていました。レッツは、音楽やアートなどさまざまな表現活動を通じて、重い障害があるとしても、その人がその人らしくいられる場づくりを続けています。特徴的なのが、そこで過ごす時間です。多くの障害者施設が、何らかの作業を行ったり、カリキュラムやトレーニングの時間を設けるなか、レッツはそうした時間を作っていません。昼寝したければ昼寝してもいい、絵を描きたければ描いてもいい。ぼくたち訪問者も、特別な何かをしなくてもいい。だれもが「いたいようにいていい」という場を、スタッフの試行錯誤とともに構築しています。

　ぼくは、レッツの活動への参画を通じて、ぼくたちが、普段からいかに「目的」や「成果」のようなものに縛られていたかに気づきました。ぼくたちは、いたいようにいてはダメな社会に生きています。会社に行けば稼がねばならないし、無駄な時間を過ごしてはならない。やるからには目的と意思を持って行い、必ず成果を出す。それが当たり前だと思って日々を過ごしています。家でも同じです。朝はテンポよく家事や育児をやらなければなりませんし、モノはあった場所にしまい、常に清潔にしていなければなりません。自宅ですら、自分のいたいようにはいられないわけです。

もはや当たり前になりすぎて深々と考えたりもしないけれど、ぼくたちはあまりにも無自覚に、生産性とか経済性とか、結果とか責任とかを持ち出していないだろうか、それって本当にいいのかな、と思うのです。よくよく考えると、そうやって盲目的に貨幣経済に組み込まれてしまっているのではないか。レッツの「ただ、自分がいたいようにいていいよ」というメッセージが、当たり前の常識を溶かしてくれたのかもしれません。レッツに行くと、自分という存在をただただシンプルに受け止めてもらっているような気がして居心地がいいんです。

そうしてレッツに一年間通い続けてみると、世の中には「やる」場、「やる」コミュニティばっかりだなあ、と感じるようになりました。世知辛いなあ、と感じるようになりました。才能やスキルを発揮し、何かの課題解決に取り組む。それはすばらしいことです。けれど、そうやって何かのために動いていけば、その目的から外れる人たちを排除してしまう。やる気のない人はいて欲しくないし、スキルがない人にも来て欲しくない。やるからには効率を求めたいし、生産性や経済性も求めたくなる。何かをやるからこそ、人と人がチームを作るわけです。デザイナーやライター、エディターやフォトグラファーが一冊の本を作るように、それぞれがスキルを発揮して、いいものを作っていく。けれど、多様な人たちが集まったはずなのに、いつの間にかコミュニティ全体が「目的遂行型」になってしまい、その目的から外れる人たちを排除したくなってしまう。やるコミュニティは、多様に見えるけれど、実は「排他性」を孕《はら》んでいるわけです。

そもそも人って何もしなくたっていいいし、何もせずそこにいていいはずです。その人がそこにいること、それが決定的に重要です。そこにいていい。存在していていい。そうやって生存する権利があるはずなんです。それを認めていくのが「いるコミュニティ」です。レッツはまさに「いる」コミュニティだと感じました。「いる」ことこそが大事。何かをしてもいいいししなくてもいい。ただいること、存在することを受け入れるわけです。だれもが排除されない。そうした「いる」場や「いる」コミュニティは、「やる」ことに疲れた多くの現代人にとって、大きな癒やしをもたらしてくれるものになるのではないでしょうか。

誰もがただそこにいられる場

ぼくは、地元に、「いる」コミュニティではなく、「やる」コミュニティを作ってしまったのかもしれません。UDOK.には、いろいろな才能やスキルを持った人たちが集まってきました。ぼくも、ウェブマガジンの編集長として、ウェブマガジンを制作するために来ていました。仲間たちにも、それを求めていました。「雨読」の時間に何かを「やる」ための場所がＵＤＯＫ．だと思っていたからです。次第に、何もしない人、つまり「ただいる人」をポジティブに考えられなくなっていました。ここに来たからには、何かをするべきだ、ボーッとするための場所じゃないぞ、と。すると、ＵＤＯＫ．に居心地のよさを感じていた人は去ってしまう。その人にとっては、ＵＤＯＫ．が「いる場所」から「やる場所」に変わってしまったからかもしれません。本当に必要だったのは、だれもがただそこにいられる、そんな場所だったのではないか。いま、そんなふうに振り返っています。

とすると、これからの地域には、集団を超えて人と人がつながる「都市型コミュニティ」だけでなく、無目的な「いるコミュニティ／いる場」も必要だということです。能力やスキルを発揮してもいいし発揮しなくてもいい。地域課題に取り組んでもいいけど取り組まなくてもいい。そうして、ただ「いる」ことを許容していく場所。難しいでしょうか。いや、いるコミュニティは、すでにあります。地域の障害者が通うデイサービスの施設やグループホームなどを、地域みんなのコミュニティスペースにしてしまえばいいんです。ただ、いていい。そんな空間を地域に開くことで、ぼくたちも、障害のある人たちの暮らしぶりを知ることができますし、自分にとって居心地のいい場所を増やすことにもつながります。

そもそも、ぼくたち自身が「健常者」という同質性に包まれています。そしてその健常者という同質性が、さまざまな障害のある人たちの「困難」や「生きづらさ」をつくっているわけです。同質性は、組織や団体の外にある場で誰かと出会い、対話することで開かれていくものだと思います。地域の障害者施設など、多様な人たちが集う場を社会に開くことで、ぼくたちの同質性も掻《か》き回されていくはずです。大事なことは、コミュニティを多様にしていくこと。そのカギは小さく動くことです。ふたりでも三人でもいい。地域の魅力や課題、ぼくたち自身にもある生きづらさを持ち寄った小さく多様なコミュニティを作ることで、「クソ」を柔らかく受け止めていきましょう。

第五章　地域の「復興」とは

模索の痕跡

ローカルへの向き合い方を語るとき、ぼくにはどうしても避けて通れないことがあります。それが、二〇一一年に起きた、東日本大震災と福島第一原子力発電所の事故です。それまでに培われたぼくの価値観がすべて吹っ飛び、めちゃくちゃになるような出来事でした。この九年半、なんとかそれを再構築しようと努め、奔走してきました。本書に書き連ねてきたことは、その模索の痕跡です。この章では、ぼくが経験した震災と原発事故についてさらに踏み込みます。といっても、被害や復興の状況について詳しく見ていくわけではありません。震災を通じて思考を重ねてきたこと、いわばぼくの「思想の軸」のようなものを書いていきたいと思います。復興について考えること。それはぼくにとって、地域や課題について、ローカルについて考えることでもあります。本章に書かれた「思想」が、これからローカルを目指す人たちに、なんらかのエネルギーになれば幸いです。

固有の生を生きる

二〇一一年三月一一日。ぼくは当時勤めていた木材商社の事務所にいました。確か、営業のプランか何かをデスクでぼんやり考えていた頃だと思います。突然、ケータイから聴きなれない緊急地震速報が鳴り出しました。「東北地方で強い揺れ、ですって」。隣に座っていた上司に、そう声をかけました。数秒後、震度二、三くらいの揺れが始まりました。「なんだ、大したことないな」。そう思った途端、いきなりギアが入れ替わったみたいな強い揺れに襲われました。建物からガタガタと大きな音が鳴り、本棚が倒れ、棚から落ちた湯呑《ゆの》みがガシャガシャと割れる音が聞こえてきました。ぼくは急いで机の下に隠れ、揺れが収まるのを待ちましたが、何秒経《た》っても揺れが収まらない。後から報道を見てわかったことですが、いわき市では三分ほど揺れが続き、その途中の一分ほどは震度五以上の揺れだったそうです。生きた心地がしませんでした。この世の終わりのような揺れでした。

すぐさま自宅へと戻り、呑気《のんき》に洗濯物を取り込んでいた祖母と、自宅で飼っていた亀の水

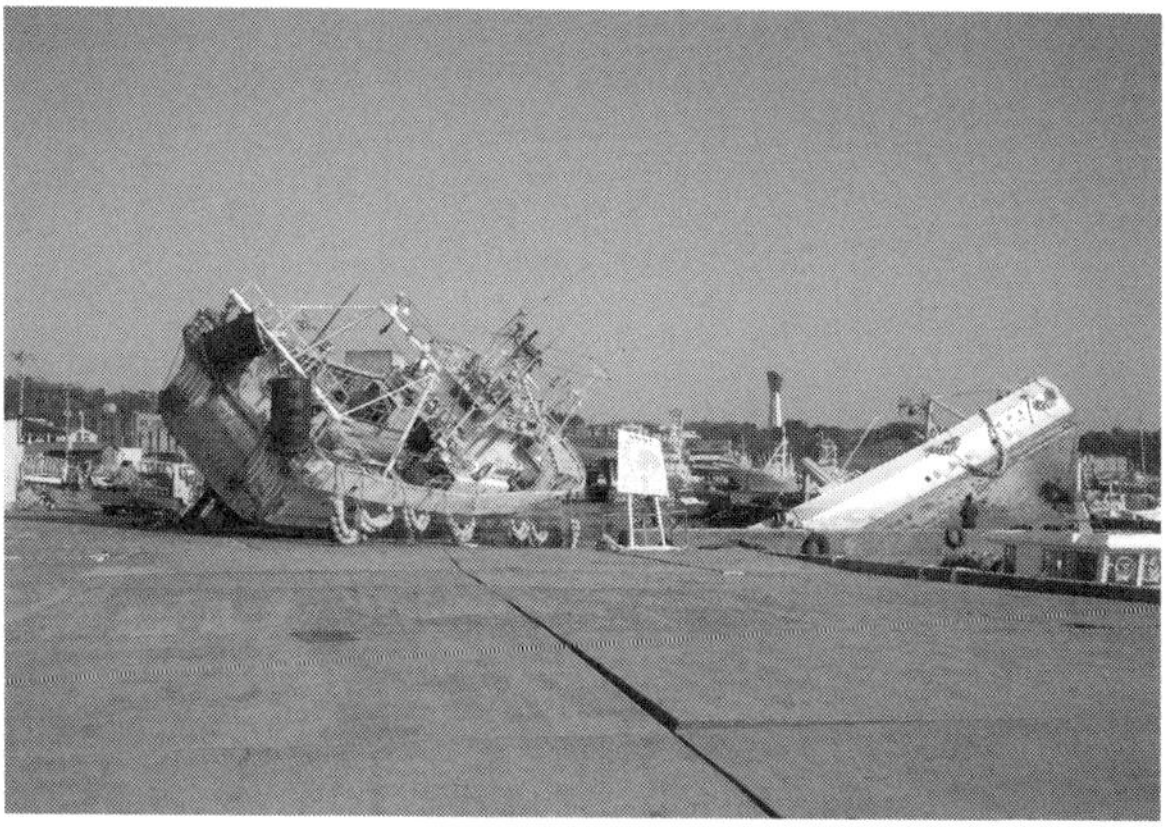

震災後の小名浜漁港、船がひっくり返っている

槽を必死になって押さえ続け、部屋で呆然《ぼうぜん》と座り込んでいた母を車に乗せ、近くの中学校に避難しました。中学校で見た光景を、ぼくは一生忘れないと思います。地域の人たちが着のみ着のまま中学校への坂道をあがってきます。リヤカーに乗せられたおばあちゃんもいました。まるで流民のような、難民のような、不安そうな顔をした人の列。ふと空を見上げると、さっきまで晴れていたはずの空が真っ黒に暗くなり、季節外れの雪が降り出しました。この世が滅亡するのではないかという空の色、不気味な吹雪。遠くに見える工場の煙。カーナビのテレビには、東北の港という港に次々に押し寄せる津波の映像が流されていました。終わった。もう何もかもめちゃくちゃだ、という思いだけが頭の中を

ぐるぐると回っているように感じられました。

その日の夜、仕事に出ていた父ともなんとか合流し、もっと内陸の中学校に避難することにしました。体育館には少なくない人たちが避難していました。ラジオからは、次々に被害に関する情報が飛び込んできます。ラジオパーソナリティは混乱し、泣いていました。それでも気丈に振る舞おうとする姿に（と言ってもラジオなので見えないのですが）、小さな勇気を感じることができました。

たくさんの人たちが死にました。そう、本当に、たくさんの。ぼくの住んでいるいわき市でも四六八名の尊い命が失われました。ぼくは命を拾いましたが、生き残ったぼくと、亡くなった人との間に、大きな差はないと感じています。ぼくが死んで、別のだれかが生き残ったかもしれない。ぼくは偶然生き残っただけです。だから、亡くなった人たちの分まで、しっかり生きていかねばと思うようになりました。勝手な言い草ですが、ぼくの人生には、震災で亡くなった人たちの命が乗っかっている。それを背負っていかなければいけないと思うし、亡くなった人たちもまた、あの世から「ちゃんと生きてるか？」と見張ってくれているような感じがするんです。

人生観、死生観も変わった気がします。震災以降、「ぼくだけの固有の生」なんてものはないんじゃないか、「ぼくの固有の生を超える生」があるんじゃないかと考えるようになりました。ただ、不思議なことですが、だからと言って「地域のために生きよう」とか、「復興のために尽力しよう」とは思いません。むしろ、自分だけの人生を面白《おもしろ》おかしく最後まで生き切ることこそが、犠牲に報いることになるのではないかと思うんです。わけがわからないと思うのですが、ぼくだけの人生を生き切ることが、「ぼくの固有の生を超える生」を生きるということにもなる。そういうことです。

自分だけの復興でよい

この章でぼくが最も伝えたいことを前もって書いてしまうと、地域のためとか、復興のためとか、家のためとか日本のためとか、そういうことは一切考えなくていい。あなたは、あなただけの人生を堂々と歩むべきだ、それが地域とともに生きること、課題とともに生きることなんだ、ということです。

災害が起きたり、課題が深刻になると、「復興のため」だとか「地域のため」だとか、個人よりも大事な何かが生み出され、多くの人がそれに動員されていきます。日本の、特に地方は課題だらけですから、これからは、地方の再生のために命を投げ出すような動きが称賛されるのかもしれません。けれど、そういうものは大抵まやかしだと思っています。そんなもののために自分を犠牲にしないでください。大事なのはあなた自身です。どこまでも、自分の関心や興味や、自分の課題や生きづらさから出発すればいいんです。それぞれが多様な、自分だけの「復興の物語」や「地域創生の物語」を生きていけばいい。ぼくがこの章でいいたいことは、実はそれだけだったりします。

なぜそんなことを考えるようになったかというと、被災地でやたらと「復興」が叫ばれたからです。震災のあった二〇一一年以降、ぼくは「復興とはなにか」ということを自分なりに考え続けてきました。メディアで、リアルな生活の中で、何度も何度も復興という言葉を聞いてきました。実際、地域の復興を掲げ、様々な人たちが尽力し、膨大な復興予算を使って震災前の姿を取り戻そう、新しいまちを作ろうとしてきました。

ところが、復興とは具体的に何を指すのか、何がどうなったら復興だと言えるのか、はっきりとした定義を誰も共有していないんです。そればかりでなく、復興計画に従って再生された地域に行ってみても、復興したと言えるのか、余計に分からなくなりました。「復興のために」と皆が叫びます。でも、個人個人の復興のイメージは異なるはず。復興という言葉は、個人個人のイメージや思いを押しつぶし、無理やり一括《ひとくく》りにしてしまう。二〇一八年に書かれた『新復興論』という本には、ぼくの「復興への疑問」も綴《つづ》られています。

まちは新しくなったけど

いわき市は復興したのでしょうか。地元の小名浜《おなはま》に目を向けてみます。ベイエリアに復興のシンボル「イオンモールいわき小名浜」ができました。週末ともなれば多くの買い物客で賑《にぎ》わいます。港町は、美しく再生したと言えるのかもしれません。モールのそばには、震災後に新しく完成した、赤煉瓦《れんが》の美しい小名浜魚市場もあります。津波で傷を受けた物産館「いわき・ら・ら・ミュウ」も復活。小名浜港から北へ向かえば、海岸沿いには防潮堤が完成しました。もし次に大津波が来たときには、きっと住民を守ってくれるのでしょう。いわき市で最も甚大な被害を受けた豊間《とよま》地区、薄磯《うすいそ》地区では住宅地の嵩《かさ》上げも完了し、新しいまちづくりが始まりました。かつてそこに暮らしていた人たちが少しずつ戻り、新たな住民を迎え入れようと、様々な地域づくりの取り組みが模索されています。

けれどもその一方で、イオンモールに来る客は、イオンにはお金を落としても地域の商店街には期待したほど恩恵をもたらしてはくれません。新しく巨大な魚市場は、震災前の水揚げ量を二割程度しか回復していない状況から鑑みるとかなりオーバースペックです。冷凍庫や冷蔵庫を回す電気代など維持費もバカにならないでしょう。漁業の復興のシンボルは、近い将来、小さくない負担を地元に残すかもしれません。防潮堤はその地域の人たちの暮らしを守りますが景観は奪われました。町から海が見えないのです。確かに屈強な壁ですが、砂浜に降り立ってみると、その壁は、海側からくるあらゆるものを拒絶しているようにも見えます。宅地は造成されましたが、被災地の多くでその宅地を作るために周囲の山が削られました。それは人為的に里山の風景を改変することにほかなりません。復興とは、現代の人間の都合だけで、何百年と存在し続けてきた風景を変えてしまう暴力的な行為でもあるわけです。

かつての港町、浜のまちは大きく姿を変えました。震災直後、津波で被災した住宅の解体をスムーズにすべく「解体助成金」が支給されたこともありました。それによって古きよき港町の風景をかろうじて残していた古民家がかなり解体されました。新しい暮らしには必要な解体かもしれませんが文化的には大きな損失です。

まちは新しくなった。けれど、そのまちらしさを作っていた風景がなくなりました。津波でまちが破壊され、変わり果てた姿になる。それを一度目の喪失とするなら、いまは二度目の喪失を味わっていると言えるでしょう。「こんな復興を望んだのだろうか」という思いが時を経るごとに強くなっているように感じられます。これが「二度目の喪失」です。一度目は災害でしたが、二度目は復興、つまり人災で、その地域らしさが傷つけられたわけです。

復興というマジックワード

復興とは「地域づくり」でもあるはずです。どの地域も、より魅力的な地域にしようと奮闘を続けてきました。復興というと被災地特有の出来事のように思えますが、復興とは、地域の魅力を膨らませ、課題は小さいものにする、つまり本質的には地域づくりです。それなのに、魅力的な地域の源泉となる風景を破壊し、形だけが整えられた安全なまちを目指しても、それを地域づくりといってよいでしょうか？

「復興」の名の下に、中身のない、がらんとした器のようなまちを地域の人たちに手渡して、「あとは皆さんの努力でがんばって」と放り投げてしまう。それは復興とはいえない。むしろ、衰退を早めているだけじゃないかとすら思います。たしかに防潮堤でまちは安全になった。公共事業で地域も多少は潤った。けれど、あと三〇年もしたら、高齢化によって、そのまちに住む人はさらに減っていきます。数兆円とも言われる予算を使って建造した巨大防潮堤は、三〇年後、そのまちの一体何を守るのでしょうか。

この九年半、メディアには「風評被害に苦しむ生産者」や「震災復興に取り組む団体」が数多く登場しました。中学生が合唱コンクールで金賞を獲《と》れば「復興の歌声」になり、高校野球で福島代表が勝利すれば「復興への力」になり、生まれたばかりの子どもは皆「復興への希望」といった具合に、復興の物語が再生産されていきます。そうやって、被災地はメディアによって外側から「復興に向けて頑張る被災地」像を押しつけられてきました。

一方で、内側から「頑張る被災地像」を求めていく動きもありました。これは「助成金」や「復興予算」に絡む取り組みに関係しています。国から予算を取るには「まだ復興していない」状態でなければなりません。課題があるからこそ復興予算を使う権利があるわけです。すると、申請書に記載される課題は大きいほうがいい。まちづくり系の事業で予算を引っ張るには「コミュニティの再生」が、地域物産系では「風評被害払拭のため」が大義名分になります。復興するために、復興していない状況を必要としてしまうのだとしたら、復興から遠ざかることにほかなりません。

ぼくは、復興というのは「復興という言葉を必要としなくなる」ことだと思います。けれども、逆に復興しようと思えば思うほど自立できない状況を作ってしまい、「復興」という言葉に依存してしまう、そんなジレンマがあるように感じます。これは、地域づくり全般に言えることかもしれません。復興というマジックワードではなく、もっとヴィヴィッドに課題に光を当てる個別の言葉が必要です。

地域づくりの「共事者」とは？

災害が起きる。課題が深まる。そこには必ず「当事者」という存在がいます。困難を余儀なくされた人にとって「当事者」という言葉は重要です。似たような困難を抱えている人たちの間に共感を生み、理解者を増やす言葉でもあるからです。けれども、その一方で、当事者という言葉は「非当事者」という存在をじんわりと浮かび上がらせてしまうとも感じています。「当事者じゃない人にはわかるまい」と言われたら、外側にいる人は「当事者じゃない自分には関われない」と思ってしまうだろうし、かえって迷惑をかけてしまうんじゃないか、自分には関わりがない、と感じてしまうでしょう。課題が重いほど社会全体で支えなければいけないはずなのに、当事者の外側にいる人のゆるい関わりを難しくしてしまうわけです。

震災と原発事故もそうでした。この九年間は当事者のリアリティが強く働いた時期でもあったと思います。私たちの苦しみはあなたにはわかるまい。当事者ではない人間は口を出すな。そう言われると、外の人は関われなくなってしまいます。誰かが決めた「正しい関わり」以外の関わり方が排除されてしまうわけです。

たとえば、「あなたは○○町の地域づくりの当事者ですか？」と聞かれたらなんと答えますか？　自治体の職員や地域の企業の経営者、拠点を持って場を運営している人、明確に目的を持って課題解決を仕事にする人たちは自らを当事者だと答えるかもしれません。けれど、「当事者と言われるとなんだか腰が引ける」という人も多いはず。好きでお店を運営してるけど商工会に入ってるわけではない。防災に興味はあるけど消防団に属してはいない。地方都市に住まいがあるけど別のまちにも家があって二拠点生活中だとか、いや、住んですらいないけどお気に入りの場所があって通ってるとか。そんな関わりを、ポジティブに掬《すく》い取りたいとぼくは考えてきました。「当事者」、つまり「事に当たっている」わけではないけれど、「事を共にしている」という人は結構いる。そんな人を「当事者ではない」なんて排除してはいけないはずです。

課題があるところには、必ず議論が起きます。深刻な課題ほど議論は二分化され、徹底して課題に寄り添うのか、あるいは突き放して反対するのか、関わりが「賛成／反対」で分断されていくように感じます。政治的な党派性が持ち込まれ、議論は進まず、分断がさらに進む。そんな時代だからこそ、ぼくは、当事者性や専門性に左右されない「ゆるい関わり」が必要なのではないかと考えるようになりました。当事者性の濃さや専門性の高さに囚《とら》われることなく、本書で何度も示してきたような、個人の興味や関心を通じて課題と関わる回路が必要だと。ぼくは、そんな関わりを「共事／共事者」と呼んでいます。自分は当事者とは言えないけれど、事を共にしてはいる。関心はある、気になって見ている。けど具体的にはまだ行動に移せていない。そんな人たちをイメージしています。

公共性はあとづけでよい

問題が深刻なほど、課題が大きいほど、活動は、その地域の課題を解決する「ために」行われるようになります。つまり、目的先行型の関わり、前の章で紹介した「やるコミュニティ化」していくわけです。課題が差し迫っているのだから仕方がないのかもしれません。でも、それだけだとなんだか息が詰まる感じがします。景色がいいとか、食べ物が美味《うま》いとか、山が好きとか友達が住んでるとか、そういう個人の思いから生まれる関わりがあっていいはずだし、ぼくはいつもそういう関わりを作ってきました。

地域は、結果的に元気になればいい。ぼくは行政マンでもなければ大学の研究者でもないし、ジャーナリストでもない。まずは自分や家族、友人の人生を豊かにすることが大事であって、そのついでに、結果として、地域も豊かになればいい。明確な目的を掲げることなく、まずは自分の楽しさを優先する回路を守りたい。震災でも、それを強く思いました。当事者として「やる」コミュニティだけではなく、共事者として「いる」コミュニティ、共事的な関わりがもっと増えていくといいなと思っています。

新しい場に人が集うようになれば、きっとあとづけで公共性が生まれていくはずです。共事者だった人が踏み込んで当事者になることだってあるでしょう。ぼくは、その地域をたまたま好きになってしまった人の極めて個人的な取り組みが、ひょんなことから社会に開かれ、課題と接続されてしまう、そんなエラーみたいな関わりに希望を感じます。なぜなら、ぼくがそうだったからです。

福島の海の現状を知りたいと思って始めた「うみラボ」も、うまい食べ物を食べたいと思って開催した「さかなのば」も、UDOK.もみんなそう。地域活性のために、風評払拭のために、復興のためにやってきたわけではありません。みんな自分の生活を豊かにするためにやっているだけです。ぼくは、社会課題の当事者ではないし、震災だって家族を失ったわけでも家を失ったわけでもありません。たまたま福島県に住んでいただけです。ジャーナリストでもないし、大学の先生でもない。それでも、震災や原発事故を忘れてはいけないと思っているし、地域の課題にも関心はあります。そういう自身の「中途半端な関わり」をできるだけポジティブに捉えたくて、ぼくは「共事者」という言葉を発明しました。

「いま」は過去の未来

地域づくりに必要な外部の人たちを「ヨソモノ・ワカモノ・バカモノ」と言ったりします。この三つを言い換えると、「外部・未来・ふまじめ」と言い換えることができるでしょう。確かに、被災した土地をどうするかを決めるのはそこに暮らす人たちですが、その決断は、「いまこの私」と「外部・未来・ふまじめ」を何度も往復した末に下されるべきだと思います。なぜなら、ぼくたちの地域は、「いまこの私」だけのものではないからです。地域とは、そこで暮らしてきたご先祖たち、未来に住むかもしれない人たち、偶然に移り住むかもしれない人たちや、未来の子どもたち、本当は関心を持っていたのに言葉を発するのをためらっていた人たち、そして、膨大な数の死者たち。そのような人たちのものでもあるからです。決めるのは当事者かもしれないけれど、外の目線も忘れてはいけない。ぼくはそういう思いを持って活動を続けてきました。

ただ、未来ばかり、外のことばかり考えていればいいというわけでもありません。震災後は、特に「未来へのメッセージ」ばかりが目指されてきたようにも思います。けれど、すでに「いま」が、過去の人たちにとって未来であるはずです。ぼくたちは、過去に生きてきた人たちが描いた未来をつくることはできたのでしょうか。過去の人たちの「未来はこうなってほしいな」という思いを実現できたのでしょうか。というか、過去の人たちがどのように生き、どのような言葉を残したのかを知ろうとしてきたでしょうか。未来を考えることはとても大事ですが、ぼくたちはあまりにも「過去」や「歴史」を軽視してはこなかったか、とも思うのです。「外部・未来・ふまじめ」だけでなく、過去に生きた人たち、つまり「死者」の存在を忘れることはできません。

震災後、ぼくは歴史に関心を持つようになりました。過去の災害や震災の記録、昔の人たちの暮らしぶりなども考慮しなければ、ぼくたちがいま何をすべきかも見えてこない気がするからです。その地域の文化は歴史が作り出したものです。なぜそこにそんな食べ物があり、なぜそのような風習があるのか。すべては歴史を読み解かないとわからない。気候や風土、その風土が生み出す食、地形や景観の美しさ、土地に息づく信仰や祭。市民性・県民性もあるでしょう。それらはみな、何百年という（地形でいえば何億年の）歴史が培ってきたものであり、それらを紐解《ひもと》き、価値を最大化しようとすれば、あるいは課題を解決しようとすれば、地域をフィールドにする人たちは歴史を軽視できません。

歴史は面白《おもしろ》い。歴史は過去のものですから、直接は触れることができません。つまり、歴史を紐解こうという人はすべてが「ヨソモノ」なんです。常にヨソモノ目線が働き、へえ、そうだったのか、そんな理由があったのかと面白がる目線が生まれます。そして、そういう歴史との出会いを通じて、過去に生きた人たち、ぼくたちの先祖の思いを知ることにつながる。つまり、地域づくりとは、先祖の思い、死者の思いを知ることであり、彼らと対話することでもあるのだと思います。

地元のことは地元で決める

過去を調べることがいまに通ずる。たとえば、自治体の成り立ち、江戸時代の藩の体制がいまに引き継がれていることもあるし、明治維新が強く影響していることもあります。なんでこんな習慣が残ってるんだろう、なんでこの地区とこの地区は仲が悪いんだろう、みたいなことが、歴史を紐解くことで見えてくることがあります。思わず「おかしいな」と感じることでも、いつの間にか対象と距離をとって「なぜそうなったのだろう」と面白がるスイッチが入れられるようになると、歴史は途端に面白くなる。一見すると「えっ？」と驚いてしまうことに、長年にわたる地域間のこじれや、何百年前のあれこれが影響していることがわかってきます。

たとえば、福島県の会津地方のベテランたちが「先の戦争」といえば、それは第二次世界大戦ではなく「戊辰《ぼしん》戦争」だったりします。ぼくの暮らす小名浜の隣町、泉町には寺院がほとんどなく、住民のお葬式が神式なのは、戊辰戦争後に「廃仏毀釈《はいぶつきしやく》」があったからだし、小名浜は製造業のまちでやたらにパチンコ店が多いのは、炭鉱業が衰退したときに国が工業化

震災後の会議。まちの今後を話し合う

を推進したからであり、工業の地であるためパチンコ店の用地取得が比較的簡単であるからであり、工場勤務は三交代制で労働者の休みの日の娯楽が少ないことに理由があったりするわけです。そんなふうに、その町の暮らしや風景は、いきなりその形になったわけでなく、何百年という歴史の積み重ねの先にできている。伝統工芸があるのも、基幹産業があるのも、原発があるのも、特別な習慣や風習があるのも、まちの「文化」や「歴史」の表れなんです。

劇作家の平田オリザさんは、著書『下り坂をそろそろと下る』（講談社現代新書、二〇一六年）のなかで、地方が資本を収奪されないためには「文化の自己決定能力」を高めなければいけないと書いています。日本はもはや工業国ではなく、緩やかな衰退の途上にある。そんな時代に地域に人を呼び戻すには文化の力を措《お》いてほかにないとオリザさんはいいます。しかし、オリザさんは、その政策は「中央に決めてもらうのではなく、地元をよく知る自分たちが決めなければならない」とも語っています。

文化の自己決定能力。それは、自分の地域は、これこれこういう歴史や文化を持っている。こういうビジョンを持っている。だからこういうまちにするんだ、こういう政策を推進するんだ、ということを自分たちで決めるということ。しかしそのような自己決定能力は、先ほども言ったように外部からの目線も必要です。中の人だけで決められるものではなく、外の目線も考慮することが、地域全体の再発見につながるのだと思います。最後は自分たちで決めるけれど、対象から距離を置いて、過去や未来を往復したり、海外の事例を参考にしたり、回り道をして、いろいろなことを面白がるなかで、自分のまちが見つかるのではないでしょうか。

当事者は最短距離で解決を図らなければいけない。でも、共事者はちょっと違う。自分の関心のあることや好きなこと、ふまじめな欲求に従って回り道することができます。なぜこんなものが生まれたのだろう。なぜこんな風習があるのだろう。そうふまじめに思考をめぐらせるうちに、知る楽しさ、調べる面白さに接続されてしまったりする。そしてその思考の過程を社会にはみ出させ、漏れ出させていけばいい。地域の過去も未来もひとっ飛びして楽しむ先に、あなただけの、その地域ならではの暮らしが形作られるのだと思いますし、それをぶつけ合う過程で文化の自己決定能力も磨かれていくのだと思います。

小さな集まりをつくる

本書で繰り返し書いてきたように、ローカルは「面白がる」ことが大事です。人はポジティブでシンプルな動機にこそ心動かされる。おいしい、楽しい、面白い。これがなければ人は参加してくれません。ポジティブな動機によって動かされた人たちが関わってくれるようになると、当事者が増え、活動が持続的になり、活動はやがて社会に漏れ出し、「あとづけの公共性」が生まれます。

楽しむことは、当事者性を拡張し、その活動に持続性を生み出します。やりたくないイベントには参加したくないし、やっててつらいことは続けたくないものですよね。楽しいことに、人は関わりたい。だから「復興のため」「地域のため」でなくてもいい。まじめにではなく「ふまじめに」行動すればいいんです。そのふまじめさが社会性を帯び、やがて、目に見えない連帯のようなものを生み出していく。

そもそも、どれだけ正しい理屈も面白くなければ伝わりませんし、興味を持ってもらえません。おいしくなければ口にしてもらえません。だからぼくは、この福島で、そのようなふまじめな回路を作ろうとしてきました。福島に、そして震災や原発事故に関心を持ってもらいたいと思えばこそ、遠くの誰かに、その面白さや楽しさを伝えていかなければならないと思うんです。ぼくは、楽しむことで風化や風評に抗《あらが》い、原発事故への怒りを忘れないでいたい。楽しむことと抗うことは、ぼくの中でしっかり両立しています。

素人の特権。それは「小さく」楽しめることです。スケールを小さくすれば素人にも楽しめます。たとえば、地域にオルタナティブスペースを作るとする。大きなビルを借りてしまったら、そこをリノベーションするには建設業者しか関わることができませんが、小さな古民家を借りるくらいなら誰でも作業に参加できますよね。五メートルの丸太はユニック車でしか運べませんが、五〇センチの丸太一〇本に分ければ一〇人で運び出せます。運び出した人は「運んだ」というその行動によって場に関わります。その場に関わったことで共事者になってしまうわけです。そうして小さく小さく人が関われるスケールにまで落とし込むことで、そこに一緒にいて楽しむだけという「共事」の回路を作ることができます。

自分のまちに、五〇億円かけて新しいハコモノのコミュニティセンターを作るより、五〇〇万円でできる小さなコミュニティセンターが一〇〇〇カ所あったほうが圧倒的に豊かだと思いませんか？　「大きなひとつ」に依存するのではなく「小さな集まり」が散らばった社会のほうが圧倒的に多様で、そして豊かだと思います。地域を面白くするプレイヤーも増えます。大きなひとつに依存する社会は、やがて大きなひとつに依存しているということを忘れさせます。ぼくは、そのような社会は福島第一原発事故で吹き飛んだと考えています。ぼくたちが目にしたのは、原子力発電所という建物が爆発しただけでなく、「大きなひとつ」に依存する社会そのものが崩壊する様だったのではないでしょうか。徹底して楽しむこと。そして、小さく展開すること。それが文化を作るんです。

小さなものを集める働き方

大きなひとつではなく、小さな集まりを目指すこと。それは働き方にも当てはまります。大事なポイントを、多様性をキーワードに三つほど挙げておきます。まずクライアントの多様性、次に収入の多様性、そして職能の多様性です。ひとつの取引先に依存せず、現金だけにこだわらず、自分の得意とするものだけに依存しない。そんな働き方を目指してみてください。

まずはクライアントを複数持つことを考えてみましょう。わかりやすく言えば、ひと月に現金三〇万円を稼ぐことを目標とするとき、一社から三〇万円をもらうような働き方ではなく、六社から五万円の報酬で仕事を受けるような働き方を目指すことです。一社あたりの金額が低い方が仕事を取りやすいし、収入源を分散させておくことは万が一の時のリスクの分散にもなる。大きな顧客に依存してしまうと、仕事を切られた時の傷が大きいですよね。ぼくは、仕事柄ローカル企業の広報業務を引き受けることがあります。パンフレットやポップを作ったり、ＳＮＳのアカウントを管理・運用したり、販促のためのイベントを企画したり。情報発信や広報に力を入れたいというローカル企業は決して少なくありません。ぼくの場合は、そうした企業から月額いくらという契約を結んで広報業務を外注してもらっています。

地域の中小企業の担当の方に話を聞くと、広報業務の必要性は感じていても、そのための人材を新たに雇用することは難しいといいます。でも、「月三〇万円出すのは難しいが五、六万円なら出せる」という会社は少なくありません。そうした顧客と複数つながることができれば、特定の大口顧客に依存することなく収入源に多様性を持たせられるはずです。当然、三〇万円の契約より六万円の契約のほうがハードルは低く、顧客にとっても「試してみようかな」と思ってもらえる規模ですよね。小さな仕事をコツコツと集めるなかで、地域の企業のニーズを様々に拾い上げていくことができるかもしれません。

また、これは特に地方に多いと思いますが、企業のなかには、現金を支払うのがキツいので現物支給で、というところもあります。以前、地元の鮮魚店の広報をお手伝いしたときに、干物や刺身で報酬を支払ってもらったことがあります。ゲストハウスの企画や広報を手伝った時には、宿泊や食事が対価になったこともあります。現金ではなく「それぞれが提供する価値」を交換し合うことで仕事を回していくことも意外と多いものです。生産地ならではの強みと言っていいかもしれません。極端な話、コメ農家、野菜農家、漁師や食品メーカーと「現物支給」の契約を結ぶことができたら、現金収入は最小限で済み、なおかつ食卓は最高の状態になります。

しかもこの価値の交換、一度交換しただけで終わらないのがいいんです。鮮魚店のPRを請け負った結果、その報酬としてお刺身をもらったとします。厳選素材のうまそうな刺身。しっかりお皿とマットをスタイリングして写真撮影してSNSで投稿すれば、鮮魚店の広報にもつながりますよね。さらにその写真を使って写真集など形の残るものを創作すれば、それがお店の広報媒体になるだけでなく、自分の作品集にもなる。それは自らの実績を示す広告媒体にもなるでしょう。その結果、鮮魚店の売り上げが増えれば信頼につながり、次年度の仕事も継続されるかもしれません。

もしこれが「金銭の交換」だけだったら、等価交換のやりとりでおしまいです。金銭ではないからこそ、そこに常に「余剰」が生まれる。その余剰の中で、お互いがさらなる価値を交換し合うことで「次の仕事」も生まれるんですね。多くの人たちと価値を交換し合うこと。それは言い換えれば「人と人のつながりのなかで生きる」ということです。少しずつ人の輪が広がり、「都市的コミュニティ」が形成され、仕事も自分の食い扶持《ぶち》も少しずつ広がっていくわけです。大金持ちになれるわけではないと思いますが、地域とつながり、食とつながり、そこで暮らすことの価値を最大限に味わいながら、それでいて最低限の収入を得られる。そういう暮らしがぼくの理想です。

多様性を持たせて選択肢を広げることは自分の職能にも当てはまります。これが三つ目です。ぼくは、書く仕事もしますが頼まれれば写真も撮ります。ウェブサイトや広告物のディレクションをして報酬を頂くこともあります。プロジェクトのマネジメントをすることもあるし、イベントを企画することもあります。自分の周囲を見回すと「何をやっているか分からないがしぶとく生き抜いている」人が地方にはよくいるものですが、どれかひとつに依存しないことは、食い扶持を考えるときにも重要な視点です。

というか、そもそもぼくのような専門性のない人間は、なんでも引き受けないと食べていけません。だからこそ自分の得意なことや新たに獲得したスキルを通じて、地域のなかで小さな「お役立ち」を続けていく。そのなかで、企業や地域の課題を感じ取り、それを事業に落とし込む。プロジェクト単位で組むチームが変わるので、自分が属するコミュニティも流動的になっていきます。もしぼくが特定の組織にしか所属していなかったら、いまの暮らしはもっと息苦しいものになっていたはずです。

こうした「少量分散の働き方」は「副業」にも有効です。少額の仕事なら規模も小さく、いずれは本業へとジャンプするチャンスが訪れるかもしれません。実は「ＵＤＯＫ．」からも、ぼくを含めて三人が独立しました。いきなり独立するのではなく、雨読的に活動を続けるなかで少しずつ収入を増やし、独立のチャンスを窺《うかが》うことができます。少量分散の働き方は、地域でこそ輝くかもしれません。

ローカル・アクティビストは「ソトモノ」であれ

東京一極集中の時代。あえてローカルを面白がる人は、それだけで「マイノリティ」と言えます。地域の中でも、もしかしたらちょっと浮いた存在になってしまうかもしれませんし、「同質性」に強く抗おうとすれば、どこかで壁にぶち当たってしまうかもしれない。なぜかというと、地域を目指すローカル人材たちは地元の人たちにとって「ハプニング」のようなものだからです。ローカル・ルールは通用しないし、地元ならではの人間関係にも縛られません。足並みを揃《そろ》えず勝手にイベントをやるし、挨拶もなしに勝手にテナントを借りてしまうこともあります（ぼくのように）。会合には顔も出してくれないし、結構批判的なことも言ってくる。しかしそれでいて、移住者が開いた場には、見慣れない人たちが集まり、地元の人が飽き飽きしてしまったものを心底楽しんでいるようにも見えます。多くの地元民にとって、ローカル人材とは本来そのような扱い難《にく》いもの、コントロールできない、ふわっとした存在だと思います。

固定しがちなコミュニティを攪拌《かくはん》し、地元の常識にとらわれず外部の目線を挿入し、地元民が価値を見出《みいだ》せなかったものに新たな価値を付与してくれるかもしれないローカル人材は、本来は歓迎されるべき存在だとぼくは思います。地元に遠慮する必要はありません。勝手にやりたいことをやって欲しいと思います。

だけれど、最近は、そんな尖《とが》ったことも言っていられなくなって、どこもかしこも競い合うようにして移住者を募り、家や仕事を用意し、マッチングイベントや出会いの場を供給する時代になりました。「地域おこし協力隊」は、その人にふさわしい具体的な業務とベーシックインカムまでつけてくれます。そこでは、移住者とは賑《にぎ》わいを創出してくれる人であり、産業のなり手になってくれる人であり、人手不足を解消してくれる人です。つまり、あらかじめ「目的」や「期待される役割」が設定されているんです。もちろん自分にスキルがあり、移住の目的が明確にあるのならばそのような移住もよいと思います。ただ、明確な目的や役割がある以上、そこにはその目的を「達成してくれた人」か「そうでなかった人」かのふた通りの評価しか存在しません。どうしても「目的遂行型」になってしまうわけです。

大前提として、ローカルに暮らすことは「レールを外れた生き方」です。移住のハードルは低くなく、一旦乗りかけた人生のレールを外れるリスクを勘案する人も多い。けれど、自分で生き方を決めた以上、自分でレールを敷くしかないと思います。そして、そもそもが異端であるローカル人材は、その地域にどっぷりと浸《つ》かれるわけではありません。面白みも、それとは真逆の改善点や課題もよくわかるから、その地域に対して批判的なことを言わなければいけないこともあるはずです。当事者性の強い役割を当てはめられ、使い古されてはいけないと思います。ローカル人材が全国的に求められる時代だからこそ、その最大の価値である「外部性／ソトモノらしさ」を守っていきたい。

そのソトモノらしさを守るために必要なのは、はぐれ者たちがつながれるコミュニティです。その地元に過度に依存しなくても悩みを共有できる場や、仕事を融通し合えるネットワーク、あるいは、互いに情報やノウハウを持ち寄れるチャンネル。ローカルに深く入り込みつつも適度に距離を置くことができるよう、ぼくたちは、そのローカルの中だけでなく、その「外側」に、もう一つの回路を広げていく必要があると思います。地域を目指すみなさん、これからはもっと連携していきましょう。本書もまた、ローカル人材をゆるく紐帯《ちゅうたい》する一冊になれば幸いです。

第六章　エラーと生きる

先行きが見えないのはどこも同じ

大勢の人の命が奪われ、傷を負い、病を得る。社会が不安に覆い尽くされ、終わりなく続くはずだった日常が大きく揺らぐ。非常時の論理が日常を覆い尽くし、混乱が大きくなり、暮らしが、生活が、価値観が丸ごと変わったようになってしまう。原発事故以降、この国は、そのような災禍に何度も何度も見舞われてきました。地震、水害、豪雨、暴風に高波、さらには未知のウイルス。毎年のように、日本のどこかで、いや世界のどこかで、少なくない人たちが災害で命を落とし、そのたびに、被災者や被害者、被災地を生み出してきました。地球温暖化など環境変動が激しくなっているいま、あなたの住んでいる地域が次の被災地になるかもしれません。

本書の最後の第六章では、コロナ禍がローカルにどのような影響を与えたかを振り返りながら、ローカルとはどうあるべきかの核心に迫りたいと思います。

人が人を分断する

九年半前。ぼくたちは、今と同じような大きな混乱の最中《さなか》にありました。毎日マスクをかけ、外出から戻ると上着のほこりを払い、家に入ったらすぐに手を洗う、そんな日々。テレビや新聞で取り上げられる数字を睨《にら》みつけては、目に見えない放射能への不安を掻《か》き立てられていました。テレビの画面に映されているのは、数字をもとに様々な解説をする科学者や医学者、そして頼りなさげな政治家たち。初めて耳にする放射性物質の名前。いままで聞いたこともない放射線の話。暮らしに馴染《なじ》みのない情報が溢《あふ》れました。

いくら「科学的な裏付け」の話をされても、ただちに影響はないと言われても、国民みんなが安心するわけではありません。目の前の食べ物は安全なのか。外での仕事は大丈夫か。学校は休ませたほうがいいか。行政の対応は信頼できるのか。親たち、大人たちの不安や疑心暗鬼はじわじわと増幅し、それが子どもたちにも伝わって、職場や教育現場での「いじめ」や「差別」が起こりました。放射能そのものではなく、人こそが分断を深め、人こそが差別を助長させていく。九年半前も同じだったんです。

原発事故直後、福島から県外に避難した人たちは、その車のナンバーだけで、ガソリンスタンドでの給油を拒まれたり、車に向かって石を投げられたりしたと聞いています。福島県は放射能で汚染されている、汚染された福島の車は来るな、そういうことなのでしょう。県外から福島に物資を届けようという他県のトラックは県境で福島県ナンバーの車に荷物を入れ替え、被災して大変なはずの福島県の車が県内各地に物資を運び込みました。その後の混乱は、多くの書籍やメディアで伝えられている通りです。震災と原発事故以降、ぼくは、社会はもっとよくなるはずだ、そうでなければあれほど大きな犠牲はなんだったんだと思っていました。しかし実際には、九年半前よりも暗澹《あんたん》とするような出来事があちらこちらで起きています。

コロナ禍にあって、東京など大都市圏では、九年半前の福島が再現されているようにも見えます。多くの人たちが都市部への立ち入りを拒み、都市部からやってくる人を遮断しようとする。田舎に帰省することすら難しくなり、あちこちの観光地に「感染流行地域からの来客はご遠慮ください」という張り紙が貼られる。言うなれば、感染拡大防止と差別意識がカジュアルに手を結ぶ、そんな状況が続いています。働く人たちへの影響も甚大です。特に日雇いの労働者、非正規の労働者らを中心に多くの人たちが仕事を奪われました。もちろん、これらの被害を受けたのは首都圏だけではなく、全国各地の旅館やホテル、飲食店なども含まれます。国民には様々な形で給付金が配布されました。全国民に一律で配布されたという意味で、すべての国民が被災したと言えるはずです。特に首都圏の人たちは、九年半前にぼくたちが体験したことを追体験していると言っていいのかもしれません。

人との距離が遠くなる

原発事故とコロナ禍との間には大きな違いもあります。それが「人の距離感」です。コロナ禍では換気が推奨されますが、原発事故では、窓は閉めっぱなしでした。ガラスの隙間をガムテープで目張りして、外からの空気を遮断していたほどです。また、放射能は人と人が会うことを禁止しませんでした。むしろ人と人の距離は、原発事故のほうが圧倒的に近かったと思います。集会所に集まることもできました。誰かの家に集まって、悩みや不安を話し合うこともできました。

ところが今は、人と会うな、避けろ、距離を取れ、と言われています。原発事故ですら揺るがなかった人の距離感を、コロナ禍は大きく揺さぶっているわけです。東京と地方に分かれて暮らす家族は会えなくなり、友人にも近づけなくなりました。授業は受けられず、イベントなど人が集まること自体が困難です。会議や面会など、つまり人と会う行為の多くが「リモート」に置き換えられるようになり、次第に、人と人が距離を縮めること自体が「新しい生活様式に反する」という理由で批判されるようになっています。病院や介護施設では、家族の最期を見守ることすらもできなくなってしまいました。

リモートは、人の表情を不可視化し、遠くにいる人も近くにいる人も、平面的なパソコンやスマホの画面に収めてしまいます。個人的な感覚ですが、いくらリモートで会議をしても、その人の持つ空気や雰囲気はつかめないし、息づかいや声の震えなど五感を通じて身体的に情報を得ることは難しくなりました。信頼関係が深まる気がしないのはそのせいでしょう。リモートは「会った気がしないのに疲れる」んです。一度でも実際に会っていたらまた違うのでしょうが、オンラインやリモート「だけ」では難しいものがあります。リモートになったことで、なんとなく調子の悪さやストレスを感じた人も多かったことでしょう。それなのに、そんな人の調子を崩す行為が推奨され、「新しい生活様式」として定着し、誰もが心がけるべき「行動規範」になってしまった。調子を崩さないはずがありません。それに、そもそも機材が揃《そろ》っているとかネット環境が整っているとか、リモート・コミュニケーションには条件が存在します。

人間関係の修復のために

コロナ禍ではいろいろなルールが作られました。不確実で明日はどうなるか全く読めません。ですから、できるだけ「確実」なものを取り入れて制御しようとしたくなる心理が働くのかもしれません。情報が溢れるなか専門家が「こうしなさい」と指示してくれたほうが安心できます。もちろん、専門的・医学的な見地から指示されたものは従うべきでしょう。マスクをするとか、アルコール消毒をするとか、三密ができるだけ揃わないようにするとか。ただ、そうした「医学的な感染対策」が、いつの間にか「マナー」に変化していると思いませんか？　マスクをつけない人、新しい様式に従わない人、つまりマナーに反する人を批判したくなってしまう。そこにある種の「同質性」が生まれ、そこから外れる人を排除したくなってしまうのだと思います。

コロナ禍で生まれたルールやマナーの代表的なものに、「自分が感染したつもりで振る舞おう」というものがあります。誰かからコロナをうつされるかも、と考えるのではなく、もうすでに自分が感染したものとして、自分の保有しているウイルスを誰かにうつさないようにしよう、あの振る舞いのことです。

筑波大学教授で精神科医の斎藤環《さいとうたまき》さんは、ブログサービス「ｎｏｔｅ」に発表した論考で、この「自分が感染したつもりで振る舞おう」という言説について、自分の体の中にウイルスがあるというのは、キリスト教の「原罪」――人間が神に背いた罪――の概念と同じであり、その原罪意識に基づいて行動を制限しようとする心理は、潔癖で禁欲的な「ピューリタニズム」そのものだと指摘したうえで、医学的な要請が「倫理」にすり変わっている状況を「コロナピューリタニズム」と名付けて批判的な目を向けています。

さらに斎藤さんは、コロナピューリタニズムがもたらした新しい倫理観は「他者に触れてはならない」だと言います。思わずドキッとしてしまう指摘ですよね。肌に触れることは人の親密さに関わることです。他者にふれてはいけないというのは「人と親密になってはいけない」と同じです。「自分が感染したつもりで振る舞おう」という、一見すると正当性があるようなマナーが、実は、親密さに対するタブーや、接触を記録する「監視社会」へとつながる怖さを内包していることを斎藤さんは指摘しました。けれども、斎藤さんは、最後にこんな希望も綴《つづ》っています。

もう一度マスクを外し、主体的に、エアロゾルとともに、三つの「密」を回復しよう。それは対話と関係と物語を、つまり人間と社会を修復することを意味するだろう。しかし同時に忘れるべきではないことは、私たちはもはや親密さに基づいた対話や関係を、かつてのような自明性のもとで享受することはできないし、またそうすべきでもないということだ。ＣＰ（コロナピューリタニズム）の広がりは、思いの外多くの人々が、接触回避を享受しそこに快適さを覚えているという事実すらも浮き彫りにするだろう。そうした人々が再び排除されてしまわないためにも、修復を進める手続きには十分な繊細さと配慮が求められなければならない。

三密を回復せよ

ぼくたちは、自分たちの気づかないうちに「つながり」から切り離されてしまったのかもしれません。大好きだった人たちと会えず、人と会えたとしても、距離を気にするばかりで会話に力が入らない。みんなで悩みを持ち寄ろうと思っても、そもそも集う場を作ることができず、オンライン飲み会は、使い勝手はいいけれど、酒の量が増えて、かえって「三密」することへの渇望感が生まれてしまったように思います。コロナウイルスは、ぼくたちが持っていたつながりの距離を引き離し、会うべき人を厳選しました。「コロナが落ち着いたら」なんて言っているうちに、文字通り疎遠になってしまった人も少なくありません。ぼくたちは、正しく「ソーシャルディスタンス」を取ることに成功したわけです。

だけれど、それが「新しい日常」だとは思いたくありません。人に会えない時間を経験し、改めてぼくは三密が好きなのだと思いました。人と人が、熱気のなか近距離で語る。それは紛れもなく「飛沫《ひまつ》」を交換する行為です。そうして誰かの思いが誰かに「感染」することで、つながりが生まれる。狭っくるしい空間にぎゅうぎゅう詰めになって、ああでもない、こうでもないと語らうことこそ「場づくり」の源泉だと考えてきました。奪われてみて初めて、ぼくが企画するイベントが、みな「三密」ばかりだったことに気づかされました。では、いかにしてその三密を回復すべきか。

ぼくの暮らすいわき市に、北好間《きたよしま》という地区があります。かつては炭鉱で栄えたまちですが、いまではすっかり人口が減り、暮らす人の多くが高齢者となりました。けれども悲壮感

北好間の母ちゃんたちはいつも元気に動《いご》く

はほとんどなく、パンチの効いた母ちゃんたちがコミュニティの中心になって、「カカシ」を使った小さなまちおこしのイベントを企画したり（もはや限界芸術の域に達しています）、体が弱くなった高齢者に料理を振る舞うため、月に一回、集会所でお食事会を企画したり、そのついでにご近所を見回りしたりして、コミュニティを面白《おもしろ》おかしく（いや本人たちは真剣に）守り続けてきました。ぼくは、取材でたびたびその集会所に出入りし、すっかり母ちゃんたちに魅了されていました。

　二〇二〇年三月に発出された緊急事態宣言を受け、感染者がそう多くないいわき市でも感染拡大防止が叫ばれるようになりました。地域の高齢者の集う集会所の活動も自粛。高齢者は重症化が懸念されており、慎重に慎重を期したためです。ご近所同士で集会所に集まり、漬物を食べたり、お茶を飲んだり、まったりおしゃべりする時間を失った母ちゃんたちは、さぞかし寂しかったことでしょう。

同じ頃、ぼくは足りない頭で「ポストコロナ」の社会のありようを考えようと、新しい本を読んでみたり、ネットの番組を見たりしながら、論客たちの語る言葉に盛んに頷《うなず》きながら、来るべき社会を夢想していました。それは知的好奇心をくすぐられるようでありながら、しかし、何となく自分の目の前の現実と離れていくような感覚もあって、どことなくモヤモヤするような時間でもありました。

先に動いたのは母ちゃんたちでした。母ちゃんたちは、タンスから引っ張り出した手ぬぐいでマスクを縫い、それを近所に配り歩き、かつてのように軒先の縁側でお茶をすすり、自粛期間が明けるとすぐ集会所に集まり始めました。母ちゃんたちなりの「そーしゃるでぃすたんす」を意識しつつ、いや、たぶんほとんど意識することなく、できるところから、軽やかに「密」を取り戻していました。すっかり笑顔を取り戻した母ちゃんたちと久しぶりに会って、ぼくは力をもらった気がしました。

コロナ禍が、ぼくたちの暮らしを変えたと言われています。実際、変えたのでしょう。けれど、母ちゃんたちを見ていると、大事なことはそんなに変わらないよな、とも思うし、もしかしたら、ぼくたちは情報過多に陥ってメディアに「踊らされてきた」面もあるのではないか、と自省を促されました。

都市の情報に踊らされるな

そもそも、地方都市では「三密」は揃いにくい。一密、二密までは揃っても、何十人も集まる機会なんて祭りくらいだし、人と会うのは屋外だったりするし、人との距離が離れていたりする。デフォルトで「ソーシャルディスタンス」が成立する環境です。感染者もそう多くはありません。ウイルスと人間は共生する運命なのだから、注意すべきことを注意するしかなく、あとはもう普通通りしているしかないんです。それなのに、連日のように「何人増加」と危機を煽《あお》るメディアを見るうち、過剰に危機感を受け取り、「危機の時代」に自分を最適化させようとしすぎたのかもしれません。置かれた状況は、東京と地方都市で違います。地方都市と一口に言っても、たとえば仙台市といわき市では違います。市と町、町と村でも異なります。自分の頭で個別の状況を考えることなく、東京から流されてくる情報だけに踊らされていたら、人の流れだけでなく情報の流れも一極集中になってしまう。必要なのは、自分の地域や暮らし方に合った、それぞれの対策であるはずです。

医療や介護は「人に触れる」仕事です。母ちゃんたちが地域の高齢者を支えようと思えば、人に触れずには支えられません。地方の中山間部には、スマホやタブレットなんて使えないひとり暮らしの高齢者も多く住んでいますから、万が一の孤立を防ぐにも、実際に訪問して顔を見て確認するしかありません。絶対に感染しない、リスクをゼロにしたいと考えていたら何もできなくなってしまいます。母ちゃんたちは「だってしょうねえべ？　会わないわけにいがないいんだもの」なんつって軽やかに動いています。

母ちゃんたちの変化のスピードはまったりしています。けれど、だからこそ母ちゃんたちは「変わらなくていいもの」を示してくれる。もちろんコロナ禍で「母ちゃんたちですら変わらざるを得なかったもの」もあるでしょう。けれど、三密を軽やかに回復しつつある母ちゃんたちを見ていると、自分が考えるべきことは、コロナによって「社会がどう変わるか」ではなく、コロナでも「何が変わらず大事なのか」なのかもしれないなあと思えてきました。地方とは、そもそも変化のスピードがまったりしている場所です。これから何がどう変わるのか、ではなく、変わらず大事なものって何だろうということを考えるのに向いている場所だったはず。国破れて山河あり。自然のペースに合わせて、母ちゃんたちの漬物をつまみながら、まったりと考える。それが地方のよさなのだから、頭でっかちに考えず、そうすべきだったなあと思わされました。

リモートとローカル

それと、もうひとつ考えたいことがあります。それは、「リモート」が生まれたことで再び光が当たり始めた「ローカル」についてです。コロナ禍では、オンラインの環境を使っていろいろなことを行う「リモートなんとか」が増えました。この「リモート」とは、もともとはＩＴの分野で使われていた言葉です。回線の向こう側にある別の機器を「リモートコンピュータ」とか「リモート端末」と呼び、外部の別の機器と対比して、目の前にある特定の機器自身のことを「ローカルコンピュータ」とか「ローカル端末」と言って区別してきました。わかりやすく区別すると、「リモート」とは「遠隔・オンライン・向こう側」を指しますが、「ローカル」は「現場・対面・こちら側」を指す。

ここで大事なことは、目の前にパソコンがあっただけではローカルは生まれないということとです。リモート、つまり外部のパソコンがあって初めて、それと対比する形で「ローカル端末」という認識が生まれてきたわけです。地域としてのローカルも、世界からの対比、ほかの地域との対比、つまりグローバル化のなかで生まれています。その地域が鎖国状態の国のように閉じた環境だったら、外国からの情報も届かず、比較する対象も持てず、その中にいる人たちはローカルとは何かを考えることもないはずです。外の環境があって初めて、それと比較しながら「中」の環境のことを考えるようになるわけです。それに照らすならば、ぼくたちはコロナ禍で「リモート」を体験したことで、これまでとは違う角度で「ローカル」を問い直す時代になったと言えるのではないでしょうか。

たとえば大学の講義。大規模講堂などでの講義の場合、リモートのほうが講義への自発的な参加が増えたとする報告があります。コメント機能などを使うことで質疑が増え、居眠りなども減っているそうです。一方、ゼミの場合は、対面でじっくりと対話しながら進めたほうがいいという声が多いようです。

企業の働き方も大きく変わり、ヤフージャパンなど、リモート出勤・在宅勤務を無制限に実施する企業も増えつつあります。大きな事務所を構える必要がなくなり、会議はリモートかレンタルオフィスなどに集まればよくなりました。平等に発言の機会が与えられることから無駄な議論が減ったという人もいます。ワーケーション、つまり働きながら地方で休暇を楽しむようなスタイルも、今後はより一般化していくでしょう。他方、新人の教育などはまだまだオンラインでは不安もあり、マンツーマンの指導も残るはずです。

購買のカタチも変わってきました。コロナ禍で大きく業績を伸ばしたのがオンラインショップでサービスを提供する企業です。ぼくも、地元の水産加工の会社のオンラインショップの運営を手伝っていますが、緊急事態宣言が出された四月と五月は、これまでとはケタが違う売り上げを記録しました。一方で、じっくりと商品の説明をしたり、試食したりして直に訴えたい商品もあり、地元の生産者からは「早く物産展を再開したい」という声が多く上がっています。

また、リモートは、障害のある人たちの活動の場を広げました。就労支援の現場で働く人たちに話を聞くと、対面で話すと、なかなか自分の言葉を伝えられなかった人たちが、リモートだと生き生きと話し出すことが少なくないというんです。吃音《きつおん》や場面緘黙《かんもく》（家などでは話せるのに、ある特定の場面で話すことができなくなること）など、言葉がなかなか出てこないという人たちもたくさんいます。そうした障害のある人は、人と直接会わなくていいリモート・コミュニケーションの方が自分らしくいられるのかもしれません。

声が小さくてなかなか聞き取れなかったという人も、デジタルデバイスを使えばしっかりと声を拾うことができます。先ほど紹介した斎藤さんの論考にもあるように、「リモートのほうが生き生きとできた」という人の声を無視してはいけない。大事なことは、リモートかローカルかの二項対立ではなく、目の前の人がどういうコミュニケーションを望んでいるか、どちらの方がよい結果をもたらすかを予想しながら、ローカルとリモートを選ぶ時代になっていくということでしょう。

そのうえで、本書ではローカルでなければできないことも考えていきたい。保育園や幼稚園は、やはりリモートは難しいでしょう。どうしても子どもたちの身体的な触れ合いが必要です。医療や介護、福祉などの仕事も肌と肌の触れ合いは欠かせません。農家や漁師、食の流通や小売りなどに関わる人たちも、緊急時だからといって仕事の手を休めることはできません。いずれも、人の力でモノを作り、運んでいます。そしてどれもが生命を維持していくために必要な仕事です。コロナ後、これらの仕事に従事する人は「エッセンシャル・ワーカー」とも呼ばれました。

考えてみれば、それらの仕事は地方にこそ多いのです。農業や水産業など一次産業、製造業など二次産業が集積しているのが地方です。その意味で、地方の仕事はリモートに代用できないものが多い。ローカルな領域・現場は、コミュニケーションの手法もローカルなものを必要としているわけです。コロナ禍は、改めてそのことを突き付けました。

不確実性と生きる

コロナ禍は、ぼくたちの暮らしが、どうしようもなく不確実なものであることを突き付けました。ぼくたちは、今日と変わらない明日が来ると無意識の中で思ってしまっています。安心で安全な暮らしは、そう簡単に壊れないはずだと、そんなことは改めて考えるまでもなく当たり前のことだと。

ところがそうではなかった。微細なウイルスが暴れ出せば、世界中で何百万人もの人の命が奪われる。どれだけ愛する人も、どれだけ国民に愛される俳優でも、人はやはり死ぬときにはあっけなく死んでしまうし、ぼくたちの暮らしはいとも簡単に壊れてしまうのです。ウイルスで死ななかったとしても、別の病気にかかってしまうかもしれない。交通事故だって起こりうる。病気や死のリスクをゼロにはできないんです。ぼくたちの命や暮らしは、どうしようもなく不確実である。そのことを改めて思いました。

人類学者の磯野真穂さんは、朝日新聞の取材（二〇二〇年五月八日）でこう答えています。

本来、病気や死は、地域をはじめローカルな人間関係の文脈の中で意味づけられてきました。リスクとの付き合い方も、人と人が集まる生活空間で「だいたいこれくらいやっておけば大丈夫だろう」という感覚の中で、つくられてきた。しかし今回の新型コロナでは、現場の感覚に基づいて個人が行動を決めることが難しくなっています。今、考えるべきなのは「感染拡大を抑制さえすれば社会は平和なのか」ということではないでしょうか。

前述した斎藤環さんの議論にも通ずる指摘だと思います。人は感染拡大を抑制さえすれば幸せなのか。磯野さんの問いかけには重いものがあります。そうではないはずです。むしろ、不確実なものだからこそ、有限なものだからこそ、人の出会いや、出会った人と親密な関係になること、つまり「三密」に価値が生まれるということだと思います。一生誰にも会わず国から生活費をもらって家の中に引きこもっていれば、たしかに感染するリスクはない。拡大も起きないでしょう。でもそれでいいのでしょうか。ぼくたちは、いろいろなものを制御し、コントロールできると思っているけれど、必ず「想定外」は起きます。不確実な暮らしの中でリスクを引き受けて生きていくほかないのだと思います。できるだけ楽しく、面白く、そのリスクや不確実なものを受け取ることならできるはずです。

エラーに希望を!

人生最大のリスクは死です。と同時に、死なない人はいないわけですから、人とは本来常に死と隣り合わせに生きる存在だといえます。しかし、都市部での快適な暮らしは、死を遠いもの、見えないものにしています。一方、地方では死はまだ身近なところにあり続けています。地方の家では、仏間に先祖の遺影が飾られている家も多く、常に死者の目線を感じるようなところがあります。お盆の時期には迎え火をして死者と過ごします。最近では、自分の慣れ親しんだ自宅で最期を迎えることを支援する「地域包括ケア」が浸透し始め、家で亡くなる人たちもじわじわ戻ってきました。人の最期を看取《みと》ることも、地方ではまだまだ少なくありません。

また、地方では、自然の中に神や仏のような超越的な存在を感じることが多くあります。かつてここに暮らしてきた先人たちが、猛威を振るう自然や疫病をなんとか鎮めんとして神を祀《まつ》った、その痕跡があちこちにあるからでしょう。ぼく自身、都市部に暮らしていた時よりも、今のほうが死を身近に感じますし、神や仏の存在を感じるようになりました。

ぼくは、そういった体験から、不確実性のもたらすエラーのようなものに希望を見出《みいだ》すことが増えました。同質性のようなものにがんじがらめになってきた、その反動かもしれませんね。先祖代々の土地に縛られてもいます。地方はもともと同質性の強いところだということはすでに考えた通りですが、とりわけ福島の場合は「被災者」の立場を押し付けられてもきました。課題の中で、難しい議論ばかりが膨らみ、二項対立が持ち込まれて分断されていく。一方、外側の人たちは議論をさけ、腫れ物に触るような状況になり、ますます無関心が進む。だからずっと、そうした閉塞感の外側に出たいと思ってきました。

確かに、同質性とは「安心」であり「想定内」です。似たような人たちといれば意思の疎通も早いし、阿吽《あうん》の呼吸で物事を進められるかもしれません。けれど、そこにはエラーが起きない。想定外が起きない。そこからはみ出すものがないので、余剰・余白も生まれません。しかし、かと言って都市部に余剰はあるかというとそうでもない。経済効率を限界まで高め、便利と快適を完璧なまでに導入すれば、ムダは生まれようもありません。すべて予想通り、時間通り。快適で便利で効率がよい。この大学に進んで、この会社に就職して、こんな人生を歩むのが王道、みたいな、人生の最適解がすでにあり、成功者たちの敷いたレールがあります。

しかしながら、ムダとはすなわち余剰のこと。余剰がなければエラーも起きません。ムダがあって初めて余白が生まれ、豊かさが生まれ、関わりしろも生まれます。その点、地方はムダに広く、ムダに空き家があり、ムダに大自然があります。その「ムダ」は、東京一極集中が生み出したとも言えるでしょう。都市部に集中した人が戻ってきても、それを受け入れられるだけの器が、地方にはまだまだ残っているということです。つまり、地方のムダに着目することで、ローカルに希望が生まれるような気がするのです。ムダを抱える豊かな地方だからこそ、ぼくも関わりを作ることができた。都市部だったら、たぶん潰れていたと思います。

壁を壊したヨソモノの一言

震災当時、ぼくには付き合っている女性がいました。震災のちょうどひと月前から付き合い始めたので、付き合ってちょうど一カ月のタイミングで震災だったということになります。

混乱が続くなか、家族と相談して状況が落ち着くまで県外に避難することになりました。彼女も心配してるようだし、一度顔を見せにいくか。そんなテンションで、ぼくは彼女のいる新潟県へと一時的に避難することになりました。彼女は実家に暮らしていたので、彼女と会うには彼女の両親に挨拶しなければなりません。当時三一歳です。結婚を意識する年頃ですよね。当然「結婚を前提にお付き合いさせて頂いております」と言わざるを得ない。まだ付き合い始めて一カ月で、しかも二回しか会ってない。それなのに、避難するために「結婚」などと口走ってしまった。一瞬にして外堀が埋められてしまいました。

新潟から小名浜《おなはま》へと戻ったぼくは、友人たちとUDOK.の立ち上げに奔走します。そうこうしていると、五月の連休前、彼女がいわきへと移住してくることになりました。もう逃げられません。一言で言えば、「新潟に避難したら結婚することになってしまった」わけです。これをエラーと言わずになんと言えばいいでしょうか。

でもこう思うんです。そうした予測不能なエラーこそ、実は人生を豊かにしてくれるものなのではないかと。震災以降は「こんなはずじゃなかったのに。気づいたらこうなっていた」ということばかり続いているような気がします。というか、震災そのものが「こんなはずではなかった」の最たるものかもしれません。

小名浜に来た彼女を連れて海に行きました。変わり果ててしまった地元の港です。彼女はぼくにこんなことを言いました。「あなたにとっては壊されてしまったまちかもしれないけれど、私にとってはこの状態がスタートライン。ここから楽しい思い出を作っていけばいいんじゃない?」と。それを聞いた時、正直ドキッとしましたが、たしかにそれは事実だし、このつらい気持ちは誰にもわかるまいと彼女に言ってしまったら、彼女も悲しんだと思います。彼女だって彼女なりに大きな決断をし、自分の人生を切り開こうとしている。その大きな決断に寄り添わなければ。彼女の一言が、「当事者」の壁を壊してくれたようにも思えるのです。

無茶苦茶な出来事だったからこそ、あの災害は、社会にさまざまなエラーを生み出しました。会うはずない人が出会い、起きるはずない出来事が起き、生まれるはずのないものが生まれたわけです。ぼくたちは、その「不確実性の希望」を、震災で感じたはずです。

いま振り返れば、ぼくは当時、「被災者/当事者」であることを過剰に背負い込んでいた気がします。けれど、そんな極めて当事者性が強いタイミングに、最も身近なところに妻という「外部」を受け入れたわけです。それによって絡んでいたものがほぐされ、楽になった部分だってあるはずなのです。予定外の、想定外の、エラーみたいな結婚だったがゆえに、ぼくは「外の目線」を獲得できたのかもしれない。普通、結婚することは「必然」のようなもので語られるのかもしれませんが、彼女との結婚は、ぼくの人生における大きな「偶然」です。こう言うと誤解を与えそうですが、想定外のエラー。妻は、いまもぼくにとってそういう存在です。

何しろ食の好みも音楽の好みも合わず、同棲《どうせい》し始めた頃は、いわゆる「価値観の不一致」で毎日のように喧嘩《けんか》をしていました。でも、そうしてトラブルが起きると、妻がもたらしてくれた、そしてこれからももたらしてくれるだろうエラーの希望にも思い至りました。妻は、常にぼくにとって外部であり、エラーをもたらしてくれる存在だ。合わないところや価値観の違いがあるからこそ、自分が変わることの大事さも学んだし、ある種の諦めもついた。そこからリスペクトも生まれてきました。それでなお離婚しないでいるのだから、妻もまたこのエラーを心のどこかで楽しんでいるのではないか、とも思うし、ひょっとして、これが「愛」なのでは？ などと思えてくるから不思議です。

二〇一四年には、めでたく娘も生まれました。エラーの申し子です。娘は、圧倒的にぼくらしさを受け継いでいるくせに、他者であり他人です。ぼくがどれほど深く震災復興にコミットしていようと、彼女は震災も原発事故も経験していません。けれども、娘が生まれたおかげで、ぼくは娘にこそ、娘のように外部にいる人たちにこそ震災の記憶や地域の魅力・課題を伝えなければいけないと強く思うようになりました。まだ難しい話は通じない。興味もない。事実も知らない。けれど、彼女たちに伝えていかなければ、震災の記憶を継承することはできません。震災と原発事故について、長く、遠くの人たちとも考えていこうとすれば、どうしたって娘のような存在を意識しないわけにはいかないんです。

そして、強い当事者性のリアリティに縛られた被災地にとっては、娘のような外部的存在がゆるやかな風を送り込んでくれるような気もするのです。妻も娘も、圧倒的な身「内」です。そのくせ、他者、つまり「外」部でもある。そして実際に、彼女たち「エラー」が、ぼくの人生を豊かにしてくれる。ぼくがぼくらしくあるために、ぼくはいつだって「外部」を必要とする。だとするなら、地域もまた、外部を無視してはいけないのだと思います。

自分だけの復興を生きる

本書も終わりに近づいてきました。上海《シャンハイ》の話に始まり、いわきでの実践、食の魅力、ローカルのクソ話、震災復興、そして、コロナ後の社会とエラーについて長々と考えてきました。改めて振り返ると、本書で綴《つづ》られてきたのは、いかに「同質性」や「当事者性」の外に出るか、どう「エラー」や「不確実さ」を面白がるか、ということだったように思います。「あとづけの公共性」や「ポジティブな公私混同」、「二枚目の名刺」や「共事者」など、出てくるワードもみなそうです。ぼくが勝手に作り出した造語は、どれも「同質性の外に出る」ための模索の末に生まれた言葉であるように思えます。

おかしいですよね。ローカルの話をしているのに、その外に出ろ、外を受け入れろ、と言っているわけですから。地域のことを考えようとすると、その地域のことを内に内に考えていくイメージが湧きますが、本書は結果的にそうはならなかった。むしろそこから外に出ようとしている。ローカル、つまりある特定の地域や領域や現場をよりよいものにしていこうと思ったら、同質性に抗《あらが》わなければならない。つまり外部を獲得し続け、風を送り続けなければいけないということかもしれません。

ローカルでは、常に内向きの力が働きます。安定を目指し、効率を目指し、わかりやすさや説明不要の「阿吽の呼吸」のようなものが求められていきます。けれど、内向きのローカルは、ソトモノを排除し、批評を難しくしてしまう。内側の論理ばかりが求められ、あるいは二項対立化し、その外側にポッカリとした空洞を作り出してしまいます。だからこそぼくたちは、ローカルがローカルであるために、外部を、外を意識し、多様さを引き込んだり、外側に越境する回路を開き続けなければならないのではないでしょうか。不思議な理論に聞こえるかもしれませんが、ローカルであるために、ローカルの外を作り続けなければいけないということです。

ぼくが本書で書いてきたことは、つまり、ローカルに根ざしつつ外部を獲得する、その術《すべ》です。最後まで書いてみて、ようやくですが、そのことに気付きました。

カギは、あえて、面白がりながら、エラーに身を晒《さら》すことです。不確実さそのものを楽しんでしまうことです。もっと具体的にいうならば、人生の岐路に立った時に、あえて想定外の方向に一歩足を踏み込んでみることです。興味や関心や、面白そうだな、という直感を武器に、エイッと一歩進むことで、同質性や予定調和の外部に出る。そこに新たな足がかりができることで、想像もしなかった未来が開かれるかもしれません。世界はもともと不確実で、ぼくたちの周りにはリスクが点在しています。だったら、その不確実さこそを楽しむほかない。外に一歩踏み出すことが、実はこの不確実な時代を生きる、何よりの「安定」なのかもしれません。

このような時代、人もまた内向きに意識が向いていきます。業界の中、当事者性の中、似

自分の人生という現場《ローカル》を楽しむ

たもの同士の中、想定内の世界にいたほうが安心できる。けれど、確固たる自分なんてものはない。いつだって、誰かから影響を受け、考えが変わるのが人間です。人は、常にゆらぎの中にある。だから、思い切り揺れればいい。その都度起きる興味や関心、自分の生きづらさから出発して、外に一歩踏み出してみればいいんです。

本書の中盤で「同質性」について書きましたね。同質性とは、言い換えれば「エラーのなさ」なのだと思います。予定調和的であり、言わずもがなの関係がそこにはあります。出来事はおおよそ「想定内」の範囲に収まります。ぼくたちは思わずそれを「安心・安全」だと考えてしまいますが、実はぼくたちの社会は、コロナや震災が教えてくれたように、常に土台が揺らいでいる。不確実こそを生きなければいけません。

究極のローカル、究極の現場とは「自分の人生」です。誰もが自分という現場からは逃れられません。つまり、ローカルについて考えることは、自分の人生について考えることにほかなりません。本書で書いてきたように、あなただけの現場、あなただけのローカルを面白がってみてください。地域がそうであるように、魅力も課題も、両方紙一重に存在しているはずです。究極のローカルが「人生」なのだとすれば、「ローカル・アクティビスト」とは、人生を楽しもうとするすべての人たちに当てはまる肩書かもしれません。明日災害が起きるかもしれない地域を楽しみ、課題を面白がり、明日死ぬかもしれない人生を楽しむ。

他人の人生ではなく、自分の人生を、自分自身の復興の物語を楽しく歩んでください。押し着せられた他人の人生を歩んではいけません。地域の「ために」、復興の「ために」に生きるのではなく、常に自分の欲求「したい」を大事にしてください。あなたの「したい」が同質性を超えていきます。あなたの「したい」が新しいコミュニティを作ります。どうぞ自分の心が指し示す方向に一歩踏み込んでください。踏み外してもいいように、ぼくたちが、いざという時の場所を作っておきますから。きっとどうにもならないことや、不確かな現実もあるでしょう。けれど、不確実だからこそエラーが生まれ、そのエラーが想像できないような豊かさをもたらしてくれる、かもしれません。

あなたは、いま過ごしているまちで、何を食べたいですか？　どこで酒を飲んだら美味《おい》しいですか？　酒を飲む前に何をしたら酒が美味しくなりますか？　ジョギングをした方がいいですか？　温泉に浸《つ》かるべきですか？　走るなら、どの道を走りたいですか？　大好きな人に見せたい風景はありますか？　その喜びや面白さを、誰と共有したいですか？

あなたは、いま、何に悩んでいますか？　何が大変だと感じていますか？　それを話せる仲間はいますか？　話せる場はありますか？　どうしたら、その悩みは楽になりますか？　うまいものでも食べながら考えてみませんか？　美しい風景の中を散歩しながらお話ししませんか？　ふたりでも三人でもいい。まずは会って、お話ししてみませんか？　その声を書き綴ってみませんか？

移住に悩んでいる人は、あれこれ悩む前にエイッと移住しちゃっていいんです。転職を考えている人、結婚を考えている人、何かに悩んでいる人は、ちょっとでも面白そうな方向に、楽しそうな選択肢に、足を伸ばしてみてください。自らの意思でグッと足を伸ばしてみたとき、誰のものでもない、自分だけの物語がそこから始まります。自信がないなあという人もご安心を。何しろ日本には四七もの都道府県があります。市町村は全国で一七四一あるそうです。地域の数だけ、楽しみ方はある。

　その時々に生まれてくる自分の興味関心や困難と、地域や社会を重ね合わせていけば、まだまだ面白いことを作れるはずです。その先に、被災地の本当の意味での復興や、地域創生があるかもしれませんが、まあ、そんなことは知ったことじゃない。常にエラーに身を晒し、不確実な人生を、自分だけのローカルを生きてください。その手始めに、うまいものや、うまい酒、最高の温泉や、美しい風景を思う存分楽しんでみましょう。ローカルは、エイッと踏み込んだ先で、あなたが想像するよりはるかに底知れぬ魅力を垣間《かいま》見《み》せてくれるはずです。ここからの旅は、そう、あなた自身のその足で踏み込んでみてください。

あとがき

究極のローカルとは、自分の人生だ。そう、自分で本の中に書いておきながら、うお、そうか、まじか、と怯《ひる》んでいる。前からそう思っていたのではなく、文章を書いていたら、唐突にそう思ってしまったのだ。だから、自分で書いておきながら、まだ、自分の言葉にはなっていない。それで怯んでしまったのだ。でも、やっぱり、うん、そう思う。究極のローカルって自分の人生だし、まずはそこを楽しまずして、地域も課題もないわなあ、と、いま、思い直しながら、これを書いている。

文章を書いていると、しばしば、そういう瞬間に立ち会う。自分が書いたのではなく、書くという行為によって書かされた、みたいな。文章を書き出してみると、自分の言葉ではないような気がしてくる。自分の「内」にあったものが「外」に出てしまったからだろう。でも、そうして言葉にして外に出してあげると、なぜかその言葉を客観的に捉えられる。冷静に、いま、自分がどういう状態にあるのか、何を考え、どうしようとしているのかを、少し理解できるようになる。なぜかはわからない。脳の働き？

こうして一冊分、文章を書いてみると、自分のあの決断にも、あの時、つらい思いをしたことも、しんどかったことも、あの大失態も、不思議と、自分の肥やしになっているような気がしてくる。人間って、そうしてつらかったことも、なんかの意味があったんじゃないかと捉え直し、自分なりの物語を立ち上げて、いまの自分を、うん、まあまあこれでよかったんじゃね？　と納得していく生き物なのだそうだ（なんかの本で読んだ）。ただ、あまりにも大きな悲しみは語り得ないトラウマになってしまったりするから、少しずつ対話をして、じっくり紐解《ひもと》き、捉えなおしをしていく。どうやら人間というのは、そうやって事実を編みなおして、新しい解釈を加え、固有の物語にしていくことで、自分を救ってるんだと思う。

ぼくも、この本を書くことで、なぜあの局面であゝいうことをしたのか、あのことが、いまにどうつながっているのかを、もう一度、確認することができました。だから、この本は読者のあなたのために書いたものでもあり、同時に、自分のために書いたともいえる。いや、だって、そもそも、筑摩書房の編集者、橋本陽介さんからいただいたオファーが「地域や地方について、思いの丈をぶつけるような本を」というものだったんですよ。だから、本当に思いの丈をぶつけてしまった。わがままな本を支えてくれた橋本さん、多謝。

でもたぶん、ローカルも同じです。地域のため、課題解決のため、でなくていい。まずは自分の思いの丈や、興味や関心、好きなことをぶつけ、対象と重ね合わせていけばいい。だからどうか自分を、自分の人生を、大切にしてください。まだ自分でやりたいことがない、何に興味があるかもわからない、という人もいるでしょう。最高です。そこには可能性しかない。そんな時は、どうぞ、その地域で活動している人たちや、面白そうな人たちの「手伝い」をしてください。人と会い、関わる、その関係の網の目のなかで、自分はこれがやりたかったのでは？　ということが見つかるかもしれない。地方にはいま、あなたが目指すべき場所が数多くあります。地域の人たちも、あなたが来てくれるのを待っている。本書が、その出会いをつなげるきっかけになれたら、筆者としてそれ以上に嬉《うれ》しいことはありません。いわきにも、ぜひ遊びにきてください。

ちくまプリマー新書

ちくまプリマー新書

235
本屋になりたい
――この島の本を売る
宇田智子
高野文子絵
東京の巨大新刊書店店員から那覇の狭小古書店店主へ、沖縄の「地産地消」の本の世界に飛び込んだ。仕事の試行錯誤の中で、本と人と本屋について考えた。

192
ソーシャルワーカーという仕事
宮本節子
ソーシャルワーカーってなにをしているの？　70年代から第一線で活躍してきたパイオニアが、自らの経験を迫力いっぱいで語り「人を助ける仕事」の醍醐味を伝授。

295
平和をつくるを仕事にする
鬼丸昌也
ウガンダやコンゴでの子ども兵への社会復帰支援などを資金ゼロ、人脈ゼロから始めたNGO代表が語る、今世界で起きていること。そして私たちにもできること。

202
新聞記者
――現代史を記録する
若宮啓文
新聞は何を、どう報じているのか。震災報道や部落問題、冷戦の終焉や政界再編、領土問題などを例に、社論を担ってきたベテラン記者が、その深層を解き明かす。

240
フリーランスで生きるということ
川井龍介
仕事も生活も自由な反面、不安や責任も負う覚悟がいるフリーランス。四苦八苦しながらも生き生きと仕事に取り組む人たちに学ぶ、自分の働き方を選び取るヒント。

ちくまプリマー新書

002
先生はえらい
内田樹
「先生はえらい」のです。たとえ何ひとつ教えてくれなくても。「えらい」と思いさえすれば学びの道はひらかれる。——だれもが幸福になれる、常識やぶりの教育論。

072
新しい道徳
藤原和博
情報化し、多様化した現代社会には、道徳を感情的に押しつけることは不可能だ。バラバラに生きる個人を支えるために必要な「理性的な道徳観」を大胆に提案する！

099
なぜ「大学は出ておきなさい」と言われるのか
——キャリアにつながる学び方
浦坂純子
将来のキャリアを意識した受験勉強の仕方、大学の選び方、学び方とは？　就活を有利にするのは留学でも資格でもない！　データから読み解く「大学で何を学ぶか」。

105
あなたの勉強法はどこがいけないのか？
西林克彦
勉強ができない理由を、「能力」のせいにしていませんか？「できる」人の「知識のしくみ」が自分のものになる方法を、認知心理学から、やさしくアドバイスします。

352
部活魂！　この文化部がすごい
読売中高生新聞編集室
運動部だけが部活じゃない！　全国の様々な文化部でも、仲間と熱くなり、時には対立しながら、成長を遂げていくドラマがある。心を震わせる情熱ノンフィクション。

ちくまプリマー新書

074
ほんとはこわい「やさしさ社会」
森真一
「やさしさ」「楽しさ」が善いとされ、人間関係のルールである現代社会。それがもたらす「しんどさ」「こわさ」をなくし、もっと気楽に生きるための智恵を探る。

079
友だち幻想
――人と人の〈つながり〉を考える
菅野仁
「みんな仲良く」という理念、「私を丸ごと受け入れてくれる人がきっといる」という幻想の中に真の親しさは得られない。人間関係を根本から見直す、実用的社会学の本。

169
「しがらみ」を科学する
――高校生からの社会心理学入門
山岸俊男
社会とは、私たちの心が作り出す「しがらみ」だ。「空気」を生む社会そのものの構造を解き明かし、自由に生きる道を考える。KYなんてこわくない！

189
ぼくらの中の発達障害
青木省三
自閉症、アスペルガー症候群……発達障害とはどんなもの？　原因や特徴、対処法などを理解すれば、障害を持つ人も持たない人も多様に生きられる世界が開けてくる。

236
〈自分らしさ〉って何だろう？
――自分と向き合う心理学
榎本博明
青年期に誰しもがぶつかる〈自分らしさ〉の問題。答えを見出しにくい現代において、どうすれば自分らしく生きていけるのか。「自己物語」という視点から考える。

chikuma primer shinsho

ちくまプリマー新書367
地方《ちほう》を生《い》きる

二〇二一年一月十日　初版第一刷発行

著者　小松理虔（こまつ・りけん）

装幀　クラフト・エヴィング商會
発行者　喜入冬子
発行所　株式会社筑摩書房
東京都台東区蔵前二‐五‐三　〒一一一‐八七五五
電話番号　〇三‐五六八七‐二六〇一（代表）

印刷・製本　中央精版印刷株式会社

ISBN978-4-480-68392-2 C0295 Printed in Japan